EDUARDO GALEANO

O LIVRO DOS ABRAÇOS

Tradução de Eric Nepomuceno

Coleção **L&PM** POCKET, vol. 465

A L&PM Editores agradece à Siglo Veintiuno Editores pela cessão das capas, que conferiram uma identidade visual comum à obra de Eduardo Galeano, tanto na América como na Europa.
Texto de acordo com a nova ortografia.

Título original: *El libro de los abrazos*

Este livro foi publicado em primeira edição pela L&PM Editores, em formato 14x21cm, em 1991.

Primeira edição na Coleção **L&PM** POCKET: 2005
Esta reimpressão: maio de 2025

Tradução: Eric Nepomuceno
Projeto gráfico: Eduardo Galeano
Capa: Tholön Kunst
Revisão: Ruiz Faillace e Mariana Donner da Costa

ISBN 978-85-254-1488-5

G151L   Galeano, Eduardo, 1940-2015
        O livro dos abraços / Eduardo Galeano; tradução de Eric
    Nepomuceno. – Porto Alegre – L&PM, 2025.
        272 p. ; 18 cm (Coleção L&PM POCKET)

        1. Ficção uruguaia. I. Título. II. Série

                CDD U863
                CDU 860 (895)-3

Catalogação elaborada por Izabel A. Merlo, CRB 10/329

© Eduardo Galeano, 1989, 2005

Todos os direitos desta edição reservados a L&PM Editores
Rua Comendador Coruja, 314, loja 9 – Floresta – 90.220-180
Porto Alegre – RS – Brasil / Fone: 51.3225.5777

PEDIDOS & DEPTO. COMERCIAL: vendas@lpm.com.br
FALE CONOSCO: info@lpm.com.br
www.lpm.com.br

Impresso no Brasil
Outono de 2025

Eduardo Galeano
(1940-2015)

Eduardo Galeano nasceu em Montevidéu, no Uruguai. Viveu exilado na Argentina e na Catalunha, na Espanha, desde 1973. No início de 1985, com o fim da ditadura, voltou a Montevidéu.

Galeano comete, sem remorsos, a violação de fronteiras que separam os gêneros literários. Ao longo de uma obra na qual confluem narração e ensaio, poesia e crônica, seus livros recolhem as vozes da alma e da rua e oferecem uma síntese da realidade e sua memória.

Recebeu o prêmio José María Arguedas, outorgado pela Casa de las Américas de Cuba, a medalha mexicana do Bicentenário da Independência, o American Book Award da Universidade de Washington, os prêmios italianos Mare Nostrum, Pellegrino Artusi e Grinzane Cavour, o prêmio Dagerman da Suécia, a medalha de ouro do Círculo de Bellas Artes de Madri e o Vázquez Montalbán do Fútbol Club Barcelona. Foi eleito o primeiro Cidadão Ilustre dos países do Mercosul e foi o primeiro escritor agraciado com o prêmio Aloa, criado por editores dinamarqueses, e também o primeiro a receber o Cultural Freedom Prize, outorgado pela Lannan Foundation dos Estados Unidos. Seus livros foram traduzidos para muitas línguas.

Livros do autor publicados pela **L&PM** EDITORES:

Amares
Bocas do tempo
O caçador de histórias
De pernas pro ar: a escola do mundo ao avesso
Dias e noites de amor e de guerra
Espelhos – uma história quase universal
Fechado por motivo de futebol
Os filhos dos dias
Futebol ao sol e à sombra
O livro dos abraços
Mulheres
As palavras andantes
Ser como eles
O teatro do bem e do mal
Trilogia "Memória do fogo" (Série Ouro)
Trilogia "Memória do fogo":
    Os nascimentos (vol. 1)
    As caras e as máscaras (vol. 2)
    O século do vento (vol. 3)
Use e jogue fora
Vagamundo
As veias abertas da América Latina

Índice

O mundo 13
A origem do mundo 14
A função da arte/1 15
A uva e o vinho 16
A paixão de dizer/1 17
A paixão de dizer/2 18
A casa das palavras 19
A função do leitor/1 20
A função do leitor/2 21
Celebração da voz humana/1 22
Celebração da voz humana/2 23
Definição da arte 24
A linguagem da arte 25
A fronteira da arte 26
A função da arte/2 28
Profecias/1 31
Celebração da voz humana/3 32
Crônica da cidade de Santiago 33
Neruda/1 36
Neruda/2 37
Profecias/2 38
Celebração da fantasia 39
A arte para as crianças 40
A arte das crianças 41
Os sonhos de Helena 42
Viagem ao país dos sonhos 43
O país dos sonhos 44
Os sonhos esquecidos 45

O adeus dos sonhos	46
Celebração da realidade	47
A arte e a realidade/1	49
A arte e a realidade/2	50
A realidade é uma doida varrida	51
Crônica da cidade de Havana	53
A diplomacia na América Latina	55
Crônica da cidade de Quito	56
O Estado na América Latina	59
A burocracia/1	60
A burocracia/2	61
A burocracia/3	62
Causos/1	64
Causos/2	66
Causos/3	68
Noite de Natal	70
Os ninguéns	71
A fome/1	72
Crônica da cidade de Caracas	74
Anúncios	77
Crônica da cidade do Rio de Janeiro	78
Os numerinhos e as pessoas	79
A fome/2	81
Crônica da cidade de Nova York	82
Dizem as paredes/1	83
Amares	84
Teologia/1	86
Teologia/2	87
Teologia/3	88
A noite/1	90
O diagnóstico e a terapêutica	91
A noite/2	92
As chamadas	93
A noite/3	94
A pequena morte	95

A noite/4	96
O devorador devorado	97
Dizem as paredes/2	99
A vida profissional/1	100
Crônica da cidade de Bogotá	101
Elogio da arte da oratória	103
A vida profissional/2	104
A vida profissional/3	106
Mapa-múndi/1	107
Mapa-múndi/2	108
A desmemória/1	109
A desmemória/2	110
O medo	111
O rio do Esquecimento	112
A desmemória/3	114
A desmemória/4	115
Celebração da subjetividade	118
Celebração de bodas da razão com o coração	119
Divórcios	121
Celebração das contradições/1	122
Celebração das contradições/2	123
Crônica da Cidade do México	124
Contrassímbolos	125
Paradoxos	126
O sistema/1	129
Elogio ao bom-senso	130
Os índios/1	131
Os índios/2	132
As tradições futuras	133
O reino das baratas	134
Os índios/3	136
Os índios/4	138
A cultura do terror/1	140
A cultura do terror/2	141
A cultura do terror/3	142

A cultura do terror/4	143
A cultura do terror/5	144
A cultura do terror/6	146
A televisão/1	148
A televisão/2	149
A cultura do espetáculo	150
A televisão/3	152
A dignidade da arte	153
A televisão/4	154
A televisão/5	155
Celebração da desconfiança	156
A cultura do terror/7	157
A alienação/1	158
A alienação/2	159
A alienação/3	160
Dizem as paredes/3	163
Nomes/1	164
Nomes/2	165
Nomes/3	166
A máquina de retroceder	168
A pálida	169
O baixo-astral	170
Onetti	171
Arguedas	172
Celebração do silêncio/1	173
Celebração do silêncio/2	174
Celebração da voz humana/4	175
O sistema/2	176
Celebração das bodas entre a palavra e o ato	177
O sistema/3	178
Elogio à iniciativa privada	179
O crime perfeito	181
O exílio	182
A civilização do consumo	184
Crônica da cidade de Buenos Aires	186

O bem-querer/1	188
O bem-querer/2	191
O tempo	192
Ressurreições/1	193
A casa	194
A perda	195
O exorcismo	196
Os adeuses	197
Os sonhos do fim do exílio/1	198
Os sonhos do fim do exílio/2	199
Os sonhos do fim do exílio/3	200
Andanças/1	202
Andanças/2	203
A última cerveja de Caldwell	204
Andanças/3	206
Dizem as paredes/4	207
Invejas do alto céu	208
Notícias	209
A morte	211
Chorar	214
Celebração do riso	215
Dizem as paredes/5	216
O vendedor de risadas	218
Eu, mutilado capilar	220
Celebração do nascer incessante	221
O parto	222
Ressurreições/2	223
Ressurreições/3	224
Os três irmãos	225
As duas cabeças	226
Ressurreições/4	227
A acrobata	228
As flores	230
As formigas	231
A avó	232

O avô	233
Fuga	235
Celebração da amizade/1	237
Celebração da amizade/2	239
Gelman	241
A arte e o tempo	242
Profissão de fé	243
Cortázar	245
Crônica da cidade de Montevidéu	246
A cerca de arame	249
O céu e o inferno	251
Crônica da cidade de Manágua	252
O desafio	254
Celebração da coragem/1	255
Celebração da coragem/2	256
Celebração da coragem/3	258
Celebração da coragem/4	260
Um músculo secreto	262
Outro músculo secreto	264
A festa	266
As impressões digitais	267
O ar e o vento	269
A ventania	270

Recordar: Do latim *re-cordis,* voltar a passar pelo coração.

Este livro é dedicado
a Claribel e Bud
a Pilar e Antonio
a Martha e Eric

O mundo

Um homem da aldeia de Neguá, no litoral da Colômbia, conseguiu subir ao céus.
Quando voltou, contou. Disse que tinha contemplado, lá do alto, a vida humana. E disse que somos um mar de fogueirinhas.

– *O mundo é isso* – revelou. – *Um montão de gente, um mar de fogueirinhas.*

Cada pessoa brilha com luz própria entre todas as outras. Não existem duas fogueiras iguais. Existem fogueiras grandes e fogueiras pequenas e fogueiras de todas as cores. Existe gente de fogo sereno, que nem percebe o vento, e gente de fogo louco, que enche o ar de chispas. Alguns fogos, fogos bobos, não alumiam nem queimam; mas outros incendeiam a vida com tamanha vontade que é impossível olhar para eles sem pestanejar, e quem chegar perto pega fogo.

A origem do mundo

A guerra civil da Espanha tinha terminado fazia poucos anos, e a cruz e a espada reinavam sobre as ruínas da República. Um dos vencidos, um operário anarquista, recém-saído da cadeia, procurava trabalho. Virava céu e terra, em vão. Não havia trabalho para um comuna. Todo mundo fechava a cara, sacudia os ombros ou virava as costas. Não se entendia com ninguém, ninguém o escutava. O vinho era o único amigo que sobrava. Pelas noites, na frente dos pratos vazios, suportava sem dizer nada as queixas de sua esposa beata, mulher de missa diária, enquanto o filho, um menino pequeno, recitava o catecismo para ele ouvir.

Muito tempo depois, Josep Verdura, o filho daquele operário maldito, me contou. Contou em Barcelona, quando cheguei ao exílio. Contou: ele era um menino desesperado que queria salvar o pai da condenação eterna e aquele ateu, aquele teimoso, não entendia.

– *Mas papai* – disse Josep, chorando –, *se Deus não existe, quem fez o mundo?*

– *Bobo* – disse o operário, cabisbaixo, quase que segredando. – *Bobo. Quem fez o mundo fomos nós, os pedreiros.*

A função da arte/1

Diego não conhecia o mar. O pai, Santiago Kovadloff, levou-o para que descobrisse o mar.

Viajaram para o Sul.

Ele, o mar, estava do outro lado das dunas altas, esperando.

Quando o menino e o pai enfim alcançaram aquelas alturas de areia, depois de muito caminhar, o mar estava na frente de seus olhos. E foi tanta a imensidão do mar, e tanto o seu fulgor, que o menino ficou mudo de beleza.

E quando finalmente conseguiu falar, tremendo, gaguejando, pediu ao pai:

– *Me ajuda a olhar*!

A uva e o vinho

Um homem dos vinhedos falou, em agonia, junto ao ouvido de Marcela. Antes de morrer, revelou a ela o segredo:
– *A uva* – sussurrou – *é feita de vinho*.
Marcela Pérez-Silva me contou isso, e eu pensei: se a uva é feita de vinho, talvez a gente seja as palavras que contam o que a gente é.

A paixão de dizer/1

Marcela esteve nas neves do Norte. Em Oslo, uma noite, conheceu uma mulher que canta e conta. Entre canção e canção, essa mulher conta boas histórias, e as conta espiando papeizinhos, como quem lê a sorte de soslaio.

Essa mulher de Oslo veste uma saia imensa, toda cheia de bolsinhos. Dos bolsos vai tirando papeizinhos, um por um, e em cada papelzinho há uma boa história para ser contada, uma história de fundação e fundamento, e em cada história há gente que quer tornar a viver por arte de bruxaria. E assim ela vai ressuscitando os esquecidos e os mortos; e das profundidades desta saia vão brotando as andanças e os amores do bicho humano, que vai vivendo, que dizendo vai.

A paixão de dizer/2

Esse homem, ou mulher, está grávido de muita gente. Gente que sai por seus poros. Assim mostram, em figuras de barro, os índios do Novo México: o narrador, o que conta a memória coletiva, está todo brotado de pessoinhas.

A casa das palavras

Na casa das palavras, sonhou Helena Villagra, chegavam os poetas. As palavras, guardadas em velhos frascos de cristal, esperavam pelos poetas e se ofereciam, loucas de vontade de ser escolhidas: elas rogavam aos poetas que as olhassem, as cheirassem, as tocassem, as provassem. Os poetas abriam os frascos, provavam palavras com o dedo e então lambiam os lábios ou fechavam a cara. Os poetas andavam em busca de palavras que não conheciam, e também buscavam palavras que conheciam e tinham perdido.

Na casa das palavras havia uma mesa das cores. Em grandes travessas as cores eram oferecidas e cada poeta se servia da cor que estava precisando: amarelo-limão ou amarelo-sol, azul do mar ou de fumaça, vermelho-lacre, vermelho-sangue, vermelho-vinho...

A função do leitor/1

Quando Lucia Peláez era pequena, leu um romance escondida. Leu aos pedaços, noite após noite ocultando o livro debaixo do travesseiro. Lucia tinha roubado o romance da biblioteca de cedro onde seu tio guardava os livros preferidos.

Muito caminhou Lucia, enquanto passavam-se os anos. Na busca de fantasmas caminhou pelos rochedos sobre o rio Antióquia, e na busca de gente caminhou pelas ruas das cidades violentas.

Muito caminhou Lucia, e ao longo de seu caminhar ia sempre acompanhada pelos ecos daquelas vozes distantes que ela tinha escutado, com seus olhos, na infância.

Lucia não tornou a ler aquele livro. Não o reconheceria mais. O livro cresceu tanto dentro dela que agora é outro, agora é dela.

A função do leitor/2

Era o meio centenário da morte de César Vallejo, e houve celebrações. Na Espanha, Julio Vélez organizou conferências, seminários, edições e uma exposição que oferecia imagens do poeta, sua terra, seu tempo e sua gente.

Mas naqueles dias Julio Vélez conheceu José Manuel Castañón; e então a homenagem inteira ficou capenga.

José Manuel Castañón tinha sido capitão na guerra espanhola. Lutando ao lado de Franco, tinha perdido a mão e ganhado algumas medalhas.

Certa noite, pouco depois da guerra, o capitão descobriu, por acaso, um livro proibido. Chegou perto, leu um verso, leu dois versos, e não pôde mais se soltar. O capitão Castañón, herói do exército vencedor, passou a noite toda em claro, grudado no livro, lendo e relendo César Vallejo, poeta dos vencidos. E ao amanhecer daquela noite, renunciou ao exército e se negou a receber qualquer peseta do governo de Franco.

Depois, foi preso; e partiu para o exílio.

Celebração da voz humana/1

Os índios shuar, chamados de jíbaros, cortam a cabeça do vencido. Cortam e reduzem, até que caiba, encolhida, na mão do vencedor, para que o vencido não ressuscite. Mas o vencido não está totalmente vencido até que fechem a sua boca. Por isso os índios costuram seus lábios com uma fibra que não apodrece jamais.

Celebração da voz humana/2

Tinham as mãos amarradas, ou algemadas, e ainda assim os dedos dançavam, voavam, desenhavam palavras. Os presos estavam encapuzados; mas inclinando-se conseguiam ver alguma coisa, alguma coisinha, por baixo. E embora fosse proibido falar, eles conversavam com as mãos.

Pinio Ungerfeld me ensinou o alfabeto dos dedos, que aprendeu na prisão sem professor:

– *Alguns tinham caligrafia ruim* – me disse. – *Outros tinham letra de artista.*

A ditadura uruguaia queria que cada um fosse apenas um, que cada um fosse ninguém: nas cadeias e quartéis, e no país inteiro, a comunicação era delito.

Alguns presos passaram mais de dez anos enterrados em calabouços solitários do tamanho de um ataúde, sem escutar outras vozes além do ruído das grades ou dos passos das botas pelos corredores. Fernández Huidobro e Mauricio Rosencof, condenados a essa solidão, salvaram-se porque conseguiram conversar, com batidinhas na parede. Assim contavam sonhos e lembranças, amores e desamores; discutiam, se abraçavam, brigavam; compartilhavam certezas e belezas e também dúvidas e culpas e perguntas que não têm resposta.

Quando é verdadeira, quando nasce da necessidade de dizer, a voz humana não encontra quem a detenha. Se lhe negam a boca, ela fala pelas mãos, ou pelos olhos, ou pelos poros, ou por onde for. Porque todos, todos, temos algo a dizer aos outros, alguma coisa, alguma palavra que merece ser celebrada ou perdoada pelos demais.

Definição da arte

Portinari *saiu* – dizia Portinari. Por um instante espiava, batia a porta e desaparecia.

Eram os anos trinta, caçada de comunistas no Brasil, e Portinari tinha se exilado em Montevidéu.

Iván Kmaid não era daqueles anos, nem daquele lugar; mas muito tempo depois, ele espiou pelos furinhos da cortina do tempo e me contou o que viu: Cândido Portinari pintava da manhã à noite, e noite afora também.

– *Portinari saiu* – dizia.

Naquela época, os intelectuais comunistas do Uruguai iam tomar posição frente ao realismo socialista e pediam a opinião do prestigiado camarada.

– *Sabemos que o senhor saiu, mestre* – disseram, e suplicaram:

– *Mas a gente não podia entrar um momento? Só um momentinho.*

E explicaram o problema, pediram sua opinião.

– *Eu não sei não* – disse Portinari.

E disse:

– *A única coisa que eu sei é o seguinte: arte é arte, ou é merda.*

A linguagem da arte

Chinolope vendia jornais e engraxava sapatos em Havana. Para deixar de ser pobre, foi-se embora para Nova York.

Lá, alguém deu de presente a ele uma máquina de fotografia. Chinolope nunca tinha segurado uma câmera nas mãos, mas disseram a ele que era fácil:

– *Você olha por aqui e aperta ali.*

E ele começou a andar pelas ruas. Tinha andado pouco quando escutou tiros e se meteu num barbeiro e levantou a câmera e olhou por aqui e apertou ali.

Na barbearia tinham baleado o gângster Joe Anastasia, que estava fazendo a barba, e aquela foi a primeira foto da vida profissional de Chinolope.

Pagaram uma fortuna por ela. A foto era uma façanha. Chinolope tinha conseguido fotografar a morte. A morte estava ali: não no morto, nem no matador. A morte estava na cara do barbeiro que a viu.

A fronteira da arte

Foi a batalha mais longa de todas as lutadas em Tuscatlán ou em qualquer outra região de El Salvador. Começou à meia-noite, quando as primeiras granadas caíram da montanha, e durou a noite toda e foi até a tarde do dia seguinte. Os militares diziam que Cinquera era inexpugnável. Os guerrilheiros tinham atacado quatro vezes, e quatro vezes tinham fracassado. Na quinta vez, quando foi erguida a bandeira branca no mastro do quartel-general, os tiros para o alto começaram os festejos.

Julio Ama, que lutava e fotografava a guerra, andava caminhando pelas ruas. Levava seu fuzil na mão e a câmera, também carregada e pronta para ser disparada, pendurada no pescoço. Andava Julio pelas ruas poeirentas, procurando os irmãos gêmeos. Esses gêmeos eram os únicos sobreviventes de uma aldeia exterminada pelo exército. Tinham dezesseis anos. Gostavam de combater ao lado de Julio; e nas entre-guerras, ele os ensinava a ler e a fotografar. No turbilhão daquela batalha, Julio tinha perdido os gêmeos, e agora não os via entre os vivos ou entre os mortos.

Caminhou através do parque. Na esquina da igreja, meteu-se numa viela. E então, finalmente, encontrou-os.

Um dos gêmeos estava sentado no chão, de costas contra um muro. Sobre seus joelhos jazia o outro, banhado em sangue; e aos pés, em cruz, estavam os dois fuzis.

Julio se aproximou, e talvez tenha dito alguma coisa. O gêmeo que vivia não disse nada, nem se moveu: estava lá, mas não estava. Seus olhos, que não pestanejavam, olhavam sem ver, perdidos em algum lugar, em nenhum lugar; e naquela cara sem lágrimas estavam a guerra inteira e a dor inteira.

Julio deixou o fuzil no chão e empunhou a câmera. Rodou o filme, calculou num instante a luz e a distância e colocou a imagem em foco. Os irmãos estavam no centro do visor, imóveis, perfeitamente recortados contra o muro recém-mordido pelas balas.

Julio ia fazer a foto da sua vida, mas o dedo não quis. Julio tentou, tornou a tentar, e o dedo não quis. Então baixou a câmera, sem apertar o botão, e se retirou em silêncio.

A câmera, uma Minolta, morreu em outra batalha, afogada pela chuva, um ano mais tarde.

A função da arte/2

O pastor Miguel Brun me contou que há alguns anos esteve com os índios do Chaco paraguaio. Ele formava parte de uma missão evangelizadora. Os missionários visitaram um cacique que tinha fama de ser muito sábio. O cacique, um gordo quieto e calado, escutou sem pestanejar a propaganda religiosa que leram para ele na língua dos índios. Quando a leitura terminou, os missionários ficaram esperando.

O cacique levou um tempo. Depois, opinou:
– *Você coça. E coça bastante, e coça muito bem.*
E sentenciou:
– *Mas onde você coça não coça.*

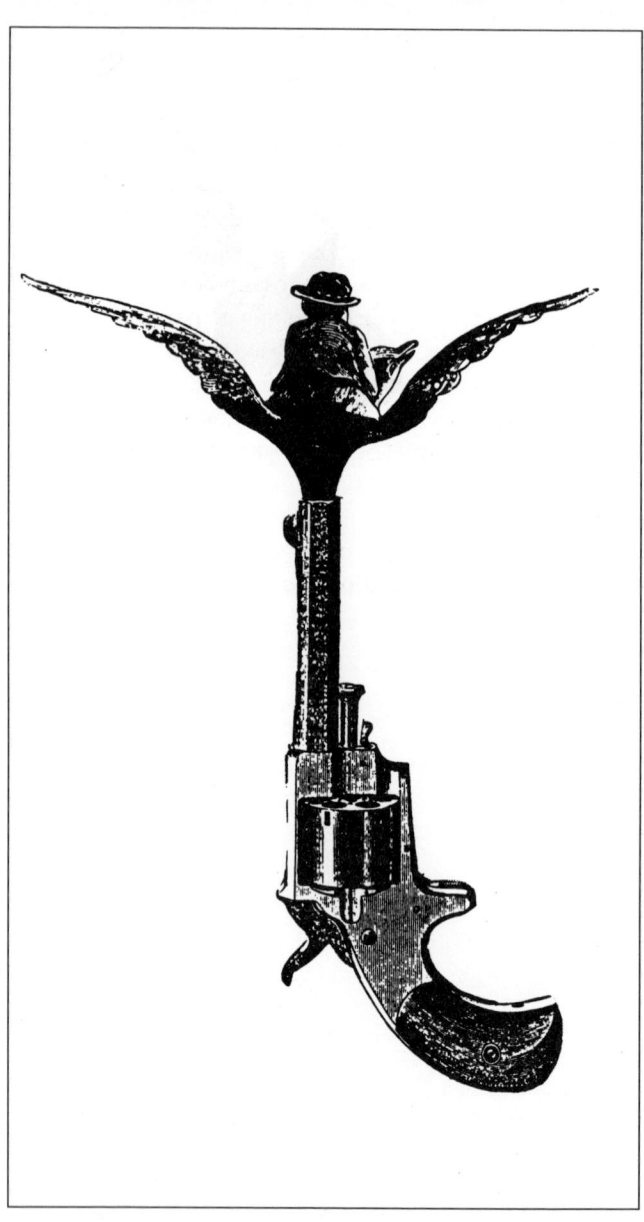

Profecias/1

No Peru, a maga cobriu-me de rosas vermelhas e depois leu a minha sorte. A maga anunciou:
– *Dentro de um mês, receberás uma distinção.*

Eu ri. Ri pela infinita bondade da mulher desconhecida, que me presenteava com rosas e bons presságios, e ri por causa da palavra distinção, que tem um sei lá o quê de cômica, e porque me veio à cabeça um velho amigo do bairro, que era muito tosco mas muito certeiro, e que costumava dizer, sentenciando, levantando o dedo: "Cedo ou tarde, os escritores se hamburguesam". E então ri; e a maga riu da minha risada.

Um mês depois, exatamente um mês depois, recebi em Montevidéu um telegrama. No Chile, dizia o telegrama, tinham me outorgado *uma distinção*. Era o prêmio José Carrasco.

Celebração da voz humana/3

José Carrasco era um jornalista da revista *Análisis*. Certa madrugada, na primavera de 1986, foi arrancado de casa. Poucas horas antes tinha acontecido o atentado contra o general Augusto Pinochet. E poucos dias antes, o ditador tinha dito:

– *Nós estamos cevando certos senhores, feito leitão de banquete.*

Ao pé de um muro, nos arredores de Santiago, meteram catorze tiros na cabeça de Carrasco. Foi ao amanhecer, e ninguém apareceu. O corpo ficou lá, estendido, até o meio-dia.

Os vizinhos nunca lavaram o sangue. O lugar transformou-se em santuário dos pobres, sempre coberto de velas e flores, e José Carrasco virou alma milagreira. No muro mordido pelos tiros foram escritos agradecimentos pelos favores recebidos.

No começo de 1988 viajei para o Chile. Fazia quinze anos que eu não ia. Fui recebido no aeroporto por Juan Pablo Cárdenas, o diretor de *Análisis*.

Condenado por ofensa ao poder, Cárdenas dormia na cadeia. Todas as noites, às dez em ponto, entrava na prisão, e saía com o sol.

Crônica da cidade de Santiago

Santiago do Chile mostra, como outras cidades latino-americanas, uma imagem resplandecente. Por menos de um dólar por dia, legiões de trabalhadores lustram a máscara da cidade.

Nos bairros altos, vive-se como em Miami, vive-se em Miami, miamiza-se a vida, roupa de plástico, comida de plástico, gente de plástico, enquanto os vídeos e os computadores domésticos se transformam em perfeitas contrassenhas da felicidade.

Mas os chilenos são cada vez menos, e cada vez são mais os subchilenos: a economia os amaldiçoa, a polícia os persegue e a cultura os nega.

Alguns viram mendigos. Burlando as proibições, dão um jeito para aparecer debaixo do sinal fechado ou em qualquer portal. Há mendigos de todos os tamanhos e cores, inteiros e mutilados, sinceros ou fingidos: alguns, na desesperação total, caminhando na beira da loucura; e outros exibindo caras retorcidas e mãos trêmulas graças a muito ensaiar, profissionais admiráveis, verdadeiros artistas do bom pedir.

Em plena ditadura militar, o melhor dos mendigos chilenos era um que comovia dizendo num lamento:
– *Sou civil.*

Neruda/1

Fui a Isla Negra, à casa que foi, que é, de Pablo Neruda.

Era proibido entrar. Uma cerca de madeira rodeava a casa. Lá, as pessoas tinham gravado seus recados para o poeta. Não tinham deixado nenhum pedacinho de madeira descoberta. Todos falavam com ele como se estivesse vivo. Com lápis ou pontas de pregos, cada um tinha encontrado sua maneira de dizer-lhe: obrigado.

Eu também encontrei, sem palavras, a minha maneira. E entrei sem entrar. E em silêncio ficamos conversando vinhos, o poeta e eu, caladamente falando de mares e amares e de alguma poção infalível contra a calvície. Compartilhamos camarões ao *pil-pil* e uma prodigiosa torta de *jaibas* e outras dessas maravilhas que alegram a alma e a pança, que são, como ele sabe muito bem, dois nomes para a mesma coisa.

Várias vezes erguemos taças de bom vinho, e um vento salgado golpeava nossas caras, e tudo foi uma cerimônia de maldição da ditadura, aquela lança negra cravada em seu torso, aquela puta dor enorme, e foi também uma cerimônia de celebração da vida, bela e efêmera como os altares de flores e os amores passageiros.

Neruda/2

Aconteceu em La Sebastiana, outra casa de Neruda, debruçada sobre a montanha, sobre a baía de Valparaíso. A casa estava fechada à pedra e cal, com tranca e cadeado e debaixo de sete chaves, habitada por ninguém, fazia muito tempo.

Os militares tinham usurpado o poder, o sangue tinha corrido pelas ruas, Neruda estava morto de câncer ou de dor. E então uns ruídos estranhos, no interior da casa fechada, chamaram a atenção dos vizinhos. Alguém chegou perto e viu, por um janelão alto, os olhos brilhantes e as garras de ataque de uma águia inexplicável. A águia não podia estar ali, não podia ter entrado, não tinha por onde entrar, mas estava lá dentro; e lá dentro agitava violentamente as asas.

Profecias/2

Helena sonhou com quem tinha guardado o fogo. As velhas tinham guardado, as velhas muito pobres, nas cozinhas dos subúrbios; e para oferecê-lo, lhes bastava soprar, suavemente, a palma das mãos.

Celebração da fantasia

Foi na entrada da aldeia de Ollantaytambo, perto de Cuzco. Eu tinha me soltado de um grupo de turistas e estava sozinho, olhando de longe as ruínas de pedra, quando um menino do lugar, esquelético, esfarrapado, chegou perto para me pedir que desse a ele de presente uma caneta. Eu não podia dar a caneta que tinha, porque estava usando-a para fazer sei lá que anotações, mas me ofereci para desenhar um porquinho em sua mão.

Subitamente, correu a notícia. E de repente me vi cercado por um enxame de meninos que exigiam, aos berros, que eu desenhasse em suas mãozinhas rachadas de sujeira e frio, pele de couro queimado: havia os que queriam um condor e uma serpente, outros preferiam periquitos ou corujas, e não faltava quem pedisse um fantasma ou um dragão.

E então, no meio daquele alvoroço, um desamparadozinho que não chegava a mais de um metro do chão mostrou-me um relógio desenhado com tinta negra em seu pulso:

– *Quem mandou o relógio foi um tio meu, que mora em Lima* – disse.

– *E funciona direito?* – perguntei.

– *Atrasa um pouco* – reconheceu.

A arte para as crianças

Ela estava sentada numa cadeira alta, na frente de um prato de sopa que chegava à altura de seus olhos. Tinha o nariz enrugado e os dentes apertados e os braços cruzados. A mãe pediu ajuda:

– *Conta uma história para ela, Onélio* – pediu. – *Conta, você que é escritor...*

E Onélio Jorge Cardoso, esgrimindo a colher de sopa, fez seu conto:

– *Era uma vez um passarinho que não queria comer a comidinha. O passarinho tinha o biquinho fechadinho, fechadinho, e a mamãezinha dizia: "Você vai ficar anãozinho, passarinho, se não comer a comidinha". Mas o passarinho não ouvia a mamãezinha e não abria o biquinho...*

E então a menina interrompeu:

– *Que passarinho de merdinha* – opinou.

A arte das crianças

Mario Montenegro canta os contos que seus filhos lhe contam. Ele senta no chão, com seu violão, rodeado por um círculo de filhos, e essas crianças ou coelhos contam para ele a história dos setenta e oito coelhos que subiram um em cima do outro para poder beijar a girafa, ou contam a história do coelho azul que estava sozinho no meio do céu: uma estrela levou o coelho azul para passear pelo céu, e visitaram a lua, que é um grande país branco e redondo e todo cheio de buracos, e andaram girando pelo espaço, e saltaram sobre as nuvens de algodão, e depois a estrela se cansou e voltou para o país das estrelas, e o coelho voltou para o país dos coelhos, e lá comeu milho e cagou e foi dormir e sonhou que era um coelho azul que estava sozinho no meio do céu.

Os sonhos de Helena

Naquela noite, os sonhos faziam fila, querendo ser sonhados, mas Helena não podia sonhá-los todos, não dava. Um dos sonhos, desconhecido, se recomendava:

– *Sonhe-me, vale a pena. Sonhe-me, que vai gostar.*

Faziam fila alguns sonhos novos, jamais sonhados, mas Helena reconhecia o sonho bobo, que sempre voltava, esse chato, e outros sonhos cômicos ou sombrios que eram velhos conhecidos de suas noites voadoras.

Viagem ao país dos sonhos

Helena acudia, em carruagem, ao país onde os sonhos são sonhados. Ao seu lado, também sentada na boleia, ia a cachorrinha Pepa Lumpen. Pepa levava, debaixo do braço, uma galinha que ia atuar em seu sonho. Helena trazia um imenso baú cheio de máscaras e trapos coloridos.

O caminho estava muito cheio de gente. Todos iam para o país dos sonhos, e faziam muita confusão e muito ruído ensaiando os sonhos que iam sonhar, e por isso Pepa ia resmungando, porque não a deixavam concentrar-se como se deve.

O país dos sonhos

Era um imenso acampamento ao ar livre.
Das cartolas dos magos brotavam alfaces cantoras e pimentões luminosos, e por todas as partes havia gente oferecendo sonhos para trocar. Havia os que queriam trocar um sonho de viagem por um sonho de amores, e havia quem oferecesse um sonho para rir a troco de um sonho para chorar um pranto gostoso.

Um senhor andava ao léu buscando os pedacinhos de seu sonho, despedaçado por culpa de alguém que o tinha atropelado: o senhor ia recolhendo os pedacinhos e os colava e com eles fazia um estandarte cheio de cores.

O aguadeiro de sonhos levava água aos que sentiam sede enquanto dormiam. Levava a água nas costas, em uma jarra, e a oferecia em taças altas.

Sobre uma torre havia uma mulher, de túnica branca, penteando a cabeleira, que chegava aos seus pés. O pente soltava sonhos, com todos seus personagens: os sonhos saíam dos cabelos e iam embora pelo ar.

Os sonhos esquecidos

Helena sonhou que deixava os sonhos esquecidos numa ilha.
Claribel Alegria recolhia os sonhos, os amarrava com uma fita e os guardava bem guardados. Mas as crianças da casa descobriam o esconderijo e queriam vestir os sonhos de Helena, e Claribel, zangada, dizia a eles:
– *Nisso ninguém mexe.*
Então Claribel telefonava para Helena e perguntava:
– *O que eu faço com os seus sonhos?*

O adeus dos sonhos

Os sonhos iam viajar. Helena ia até a estação de trem. Da plataforma, dizia adeus aos sonhos com um lencinho.

Celebração da realidade

Se a tia de Dámaso Murúa tivesse contado sua história a García Márquez, talvez a *Crônica de uma morte anunciada* tivesse outro final.

Susana Contreras, que é como se chama a tia de Dámaso, teve em seus bons tempos a bunda mais incendiária de todas as que ondularam na cidadezinha de Escuinapa e em todas as comarcas do golfo da Califórnia.

Há muitos anos, Susana se casou com um dos numerosos galãs que sucumbiram ao seu remelexo. Na noite de núpcias, o marido descobriu que ela não era virgem. Então soltou-se da ardente Susana como se ela contagiasse de peste, bateu a porta e foi-se embora para sempre.

O despeitado desandou a beber nos botequins, onde os convidados da festa continuavam a farra. Abraçado aos amigos, ele se pôs a mastigar rancores e a proferir ameaças, mas ninguém levava a sério seu tormento cruel. Com benevolência o escutavam, enquanto ele segurava, macho forte, as lágrimas que aos borbotões lutavam para sair, mas depois lhe diziam que a notícia não era de nada, que não desse bola, que claro que Susana não era virgem, que a cidade inteira sabia menos ele, e que afinal esse era um detalhe que não tinha a menor importância, e deixa de ser babaca, meu irmão, que a gente só vive uma vez. Ele insistia, e no lugar de gestos de solidariedade recebia bocejos.

E assim foi avançando a noite, aos trambolhões, em triste bebedeira cada vez mais solitária, até o amanhecer. Um atrás do outro, os convidados foram dormir. A alvorada encontrou o ofendido sentado na rua, completamente sozinho e exausto de tanto se queixar sem que ninguém lhe desse atenção.

O homem já estava se cansando de sua própria tragédia, e as primeiras luzes desvaneceram a vontade de sofrer e de se vingar.

No meio da manhã tomou um bom banho e um café bem quente e ao meio-dia voltou, arrependido, aos braços da repudiada.

Voltou desfilando, em passo de grande cerimônia, vindo lá da outra ponta da rua principal. Ia carregando um enorme ramo de rosas, encabeçando uma longa procissão de amigos, parentes e público em geral. A orquestra de serenatas fechava a marcha. A orquestra soava a todo vapor, tocando para Susana, à maneira de desagravo, *La negra consentida* e *Vereda tropical*. Com essas musiquinhas, tempos atrás, ele tinha se declarado a ela.

A arte e a realidade/1

Fernando Birri ia filmar o conto do anjo, de García Márquez, e me levou para ver os cenários. No litoral cubano, Fernando tinha fundado um povoado de papelão e o tinha enchido de galinhas, de caranguejos gigantes e de atores. Ele ia fazer o papel principal, o papel de um anjo depenado que cai na terra e fica trancado num galinheiro.

Marcial, um pescador do lugar, tinha sido solenemente designado Alcaide-Mor daquele povoado de cinema. Depois das formais boas-vindas, Marcial nos acompanhou.

Fernando queria me mostrar uma obra-prima do envelhecimento artificial: uma gaiola desmantelada, leprosa, mordida pela ferrugem e por uma imundície antiga. Esta ia ser a prisão do anjo, depois de sua fuga do galinheiro. Mas no lugar daquele bagulho sabiamente arruinado pelos especialistas, encontramos uma gaiola limpa e bem-armada, com suas barras perfeitamente alinhadas e recém-pintadas de dourado. Marcial ficou inchado de orgulho ao mostrar-nos aquela preciosidade. Fernando, metade atônito, metade furioso, quase o comeu vivo:

– *O que é isto, Marcial? O que é isto?*

Marcial engoliu saliva, ficou rubro, agachou a cabeça e coçou a barriga. Então confessou:

– *Eu não podia permitir. Não podia permitir que metessem naquela gaiola imunda um homem bom como o senhor.*

A arte e a realidade/2

Eraclio Zepeda fez o papel de Pancho Villa em *México insurgente*, o filme de Paul Leduc, e fez tão bem que desde então tem gente que acha que Eraclio Zepeda é o nome que Pancho Villa usa quando trabalha no cinema.

Estavam em plena filmagem, numa aldeia qualquer, e as pessoas participavam em tudo o que acontecia, de modo muito natural, sem que o diretor desse palpite. Pancho Villa tinha morrido há meio século, mas ninguém se surpreendeu que ele aparecesse por ali. Certa noite, depois de uma intensa jornada de trabalho, algumas mulheres se reuniram na frente da casa onde Eraclio dormia, e pediram que ele intercedesse pelos presos. Na manhã seguinte, bem cedinho, ele foi falar com o prefeito.

– *Foi preciso que o general Villa viesse, para que fizessem justiça* – comentaram as pessoas.

A realidade é uma doida varrida

Diga uma coisa. Diga se o marxismo proíbe comer vidro. Quero saber.

Foi em meados de 1970, no oriente de Cuba. O homem estava lá, plantado na porta, esperando. Pedi desculpas. Disse a ele que era pouco o que eu entendia de marxismo, uma coisinha ou outra, pouquinha, e que era melhor consultar um especialista em Havana.

– *Já me levaram para Havana* – disse. – *Os médicos de lá me examinaram. E também o comandante. Fidel me perguntou: "Vem cá, será que o seu caso não é de ignorância?".*

Porque comia vidro, tinham tomado seu carnê da Juventude Comunista:

– *Aqui, em Baracoa, abriram um processo.*

Trígimo Suárez era miliciano exemplar, cortador de cana de primeira fila e trabalhador de vanguarda, desses que trabalham vinte horas e recebem oito, sempre o primeiro a acudir para tombar cana ou atirar tiros, mas tinha paixão pelo vidro:

– *Não é vício* – explicou. – *É necessidade.*

Quando Trígimo era mobilizado para colheita ou guerra, a mãe enchia sua mochila de comida: punha algumas garrafas vazias, para o almoço e o jantar, e, de sobremesa, tubos de lâmpada fluorescente usada. Também punha algumas lâmpadas queimadas, para o lanche.

Trígimo me levou na casa dele, no bairro Camilo Cienfuegos, em Baracoa. Enquanto conversávamos, eu bebia café e ele comia lâmpadas. Depois de acabar com o vidro, chupava, guloso, os filamentos.

– *O vidro me chama. Eu amo o vidro como amo a revolução.*

Trígimo afirmava que não havia nenhuma sombra em seu passado. Ele nunca tinha comido vidro alheio, exceto uma vez, uma vez só, quando estava louco de fome e devorou os óculos de um companheiro de trabalho.

Crônica da cidade de Havana

Os pais tinham fugido para o Norte. Naquele tempo, a revolução e ele eram recém-nascidos. Um quarto de século depois, Nelson Valdés viajou de Los Angeles a Havana, para conhecer seu país.

A cada meio-dia, Nelson tomava o ônibus, a *guagua* 68, na porta do hotel, e ia ler livros sobre Cuba. Lendo passava as tardes na biblioteca José Martí, até que a noite caía.

Naquele meio-dia, a *guagua* 68 deu uma tremenda freada num cruzamento. Houve gritos de protesto, pela tremenda sacudida, até que os passageiros viram o motivo daquilo tudo: uma mulher prodigiosa, que tinha atravessado a rua.

– *Me desculpem, cavalheiros* – disse o motorista da *guagua* 68, e desceu. Então todos os passageiros aplaudiram e lhe desejaram boa sorte.

O motorista caminhou balançando, sem pressa, e os passageiros viram como ele se aproximava da maravilha que estava na esquina, encostada no muro, lambendo um sorvete. Da *guagua* 68 os passageiros seguiam o ir e vir daquela linguinha que beijava o sorvete enquanto o motorista falava sem resposta, até que de repente ela riu, e brindou-lhe um olhar. O motorista ergueu o polegar e todos os passageiros lhe dedicaram uma intensa ovação.

Mas quando o chofer entrou na sorveteria, produziu-se uma certa inquietação generalizada. E quando depois de um instante saiu com um sorvete em cada mão, espalhou-se o pânico nas massas.

Tocaram a buzina. Alguém grudou-se na buzina com alma e vida, e tocou a buzina como alarme de roubos ou sirena de incêndios; mas o motorista, surdo, continuava grudado na maravilha.

Então avançou, lá dos fundos da *guagua* 68, uma mulher que parecia uma bala de canhão e tinha cara de mandona. Sem dizer uma palavra, sentou-se no assento do chofer e ligou o motor. A *guagua* 68 continuou sua rota, parando nos pontos habituais, até que a mulher chegou no seu próprio ponto e desceu. Outro passageiro ocupou seu lugar, durante um bom trecho, de ponto em ponto, e depois outro, e outro, e assim a *guagua* 68 continuou até o fim.

Nelson Valdés foi o último a descer. Tinha esquecido a biblioteca.

A diplomacia na América Latina

What is that? – perguntavam os turistas.

Balmaceda sorria, se desculpando, e negava com a cabeça. Ele usava, como todos, guirlandas de flores no pescoço, óculos escuros e camisa com palmeiras, mas estava todo empapado de suor por causa do pacote muito pesado.

Parecia condenado à carga perpétua. Tinha tentado abandonar o embrulho no banheiro de um hotel de Manila e no balcão da alfândega de Papeete; tinha tentado jogá-lo pela borda do navio e tinha tentado esquecê-lo em frondosas paragens das ilhas do arquipélago de Tahiti. Mas sempre havia alguém que o alcançava correndo:

– *Cavalheiro, cavalheiro, o senhor esqueceu isto!*

Esta triste história tinha começado quando o ditador Ferdinando Marcos convidou o ditador Augusto Pinochet para visitar as Filipinas. Então a chancelaria chilena tinha enviado um busto de bronze do general O'Higgins, de Santiago para Manila. Pinochet ia inaugurar essa efígie do prócer nacional numa praça central da cidade. Mas Marcos, assustado pelas fúrias de seu povo, cancelou subitamente o convite. Pinochet foi obrigado a voltar para o Chile sem aterrissar. Então o funcionário Balmaceda recebeu categóricas instruções na embaixada chilena em Manila. Por telefone, ordenaram, de Santiago:

– *Basta de papelões. Desfaça-se desse busto do jeito que for. Se voltar com ele para o Chile, está na rua.*

Crônica da cidade de Quito

Desfila à cabeça das manifestações de esquerda. Costuma assistir aos atos culturais, embora se aborreça, porque sabe que depois vem a farra. Gosta de rum, sem gelo nem água, desde que seja cubano.

Respeita os sinais de trânsito. Caminha Quito de ponta a ponta, pelo direito e pelo avesso, percorrendo amigos e inimigos. Nas subidas, prefere o ônibus, e vai de penetra, sem pagar passagem. Alguns chofere s bronqueiam: quando desce, gritam para ele *zarolho de merda*.

Chama-se *Choco* e é brigão e apaixonado. Luta até com quatro de uma só vez; e nas noites de lua cheia, foge para buscar namoradas. Depois conta, alvoroçado, as loucas aventuras que acaba de viver. Mishy não compreende os detalhes, mas capta o sentido geral.

Certa vez, faz anos, foi levado para longe de Quito. A comida era pouca, e resolveram deixá-lo num povoado distante, onde tinha nascido. Mas voltou. Depois de um mês, voltou. Chegou na porta de casa e ficou lá, esticado, sem forças para celebrar movendo o rabo, ou para se anunciar latindo. Tinha andado por muitas montanhas e avenidas e chegou nas últimas feito um trapo, os ossos saltando, o pelo sujo de sangue seco. Desde aquela época odeia os chapéus, as fardas e as motocicletas.

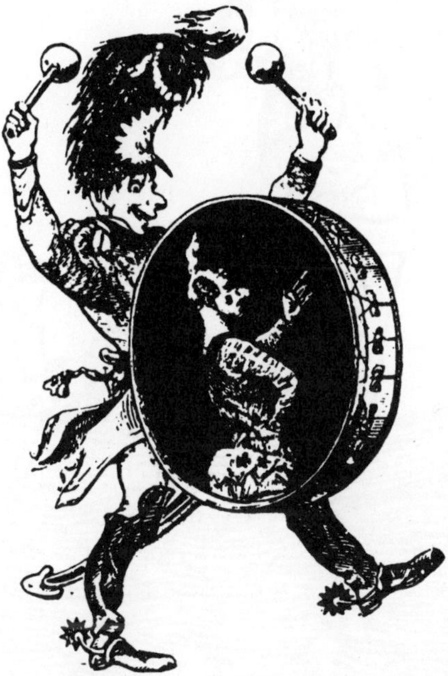

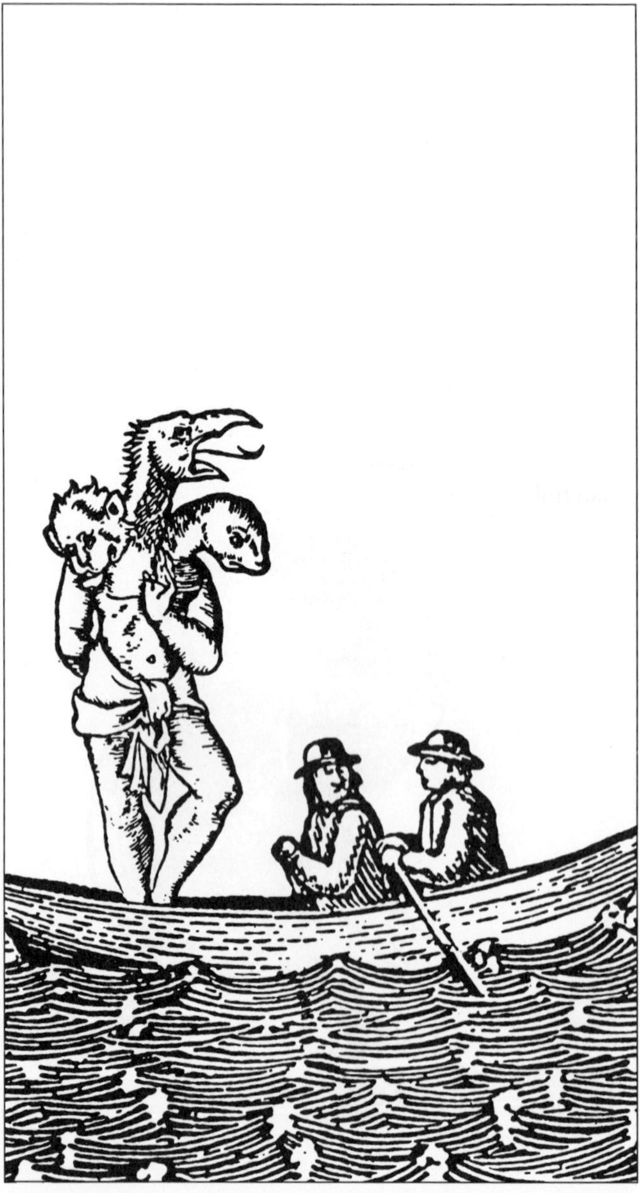

O Estado na América Latina

Já faz alguns anos, muitos, que o coronel Amen me contou. Acontece que um soldado recebeu a ordem de mudar de quartel. Por um ano, foi mandado a outro destino, em algum lugar de fronteira, porque o Superior Governo do Uruguai tinha contraído uma de suas periódicas febres de guerra ao contrabando.

Ao ir embora, o soldado deixou sua mulher e outros pertences ao melhor amigo, para que tivesse tudo sob custódia.

Passado um ano, voltou. E encontrou seu melhor amigo, também soldado, sem querer devolver a mulher. Não tinha nenhum problema em relação ao resto das coisas; mas a mulher, não. O litígio ia ser resolvido através do veredicto do punhal, em duelo, quando o coronel Amen resolveu parar com a brincadeira:

– *Que se expliquem* – exigiu.

– *Esta mulher é minha* – disse o ausentado.

– *Dele? Terá sido. Mas já não é* – disse o outro.

– *Razões* – disse o coronel. – *Quero explicações.*

E o usurpador explicou:

– *Mas coronel, como vou devolvê-la? Depois do que a coitada sofreu! Se o senhor visse como este animal a tratava... A tratava, coronel... como se ela fosse do Estado!*

A burocracia/1

Nos tempos da ditadura militar, em meados de 1973, um preso político uruguaio, Juan José Noueched, sofreu uma sanção de cinco dias: cinco dias sem visita nem recreio, cinco dias sem nada, por violação do regulamento. Do ponto de vista do capitão que aplicou a sanção, o regulamento não deixava margem de dúvida. O regulamento estabelecia claramente que os presos deviam caminhar em fila e com as mãos nas costas. Noueched tinha sido castigado por estar com apenas uma das mãos nas costas.

Noueched era maneta.

Tinha sido preso em duas etapas. Primeiro tinham prendido seu braço. Depois, ele. O braço caiu em Montevidéu. Noueched vinha escapando, correndo sem parar, quando o policial que o perseguia conseguiu agarrá-lo e gritou: "*Teje preso!*", e ficou com o braço na mão. O resto de Noueched caiu preso um ano e meio depois, em Paysandú.

Na cadeia, Noueched quis recuperar o braço perdido:

– *Faça um requerimento* – disseram a ele.

Ele explicou que não tinha lápis:

– *Faça um requerimento de lápis* – disseram.

Então passou a ter lápis, mas não tinha papel.

– *Faça um requerimento de papel* – disseram a ele.

Quando finalmente teve lápis e papel, formulou seu requerimento de braço.

Tempos depois, responderam. Não. Não era possível: o braço estava em outro expediente. Ele tinha sido processado pela justiça militar. O braço, pela justiça civil.

A burocracia/2

Tito Sclavo conseguiu ver e transcrever alguns boletins oficiais do cárcere chamado *Libertad*, nos anos da ditadura militar uruguaia. São atas de castigo: condena-se ao calabouço os presos que tenham cometido o delito de desenhar pássaros, ou casais, ou mulheres grávidas, ou que tenham sido surpreendidos usando uma toalha estampada de flores. Um preso, cuja cabeça estava, como todas, raspada a zero, foi castigado por *entrar despenteado no refeitório*. Outro, por *passar a cabeça por baixo da porta*, embora debaixo da porta houvesse um milímetro de luz. Houve calabouço para um preso que *pretendeu familiarizar-se com um cão de guerra*, e para outro que *insultou um cão integrante das Forças Armadas*. Outro foi castigado porque *latiu como um cão sem razão justificada*.

A burocracia/3

Sixto Martínez fez o serviço militar num quartel de Sevilha.

No meio do pátio desse quartel havia um banquinho. Junto ao banquinho, um soldado montava guarda. Ninguém sabia por que se montava guarda para o banquinho. A guarda era feita porque sim, noite e dia, todas as noites, todos os dias, e de geração em geração os oficiais transmitiam a ordem e os soldados obedeciam. Ninguém nunca questionou, ninguém nunca perguntou. Assim era feito, e sempre tinha sido feito.

E assim continuou sendo feito até que alguém, não sei qual general ou coronel, quis conhecer a ordem original. Foi preciso revirar os arquivos a fundo. E depois de muito cavoucar, soube-se. Fazia trinta e um anos, dois meses e quatro dias, que um oficial tinha mandado montar guarda junto ao banquinho, que fora recém-pintado, para que ninguém sentasse na tinta fresca.

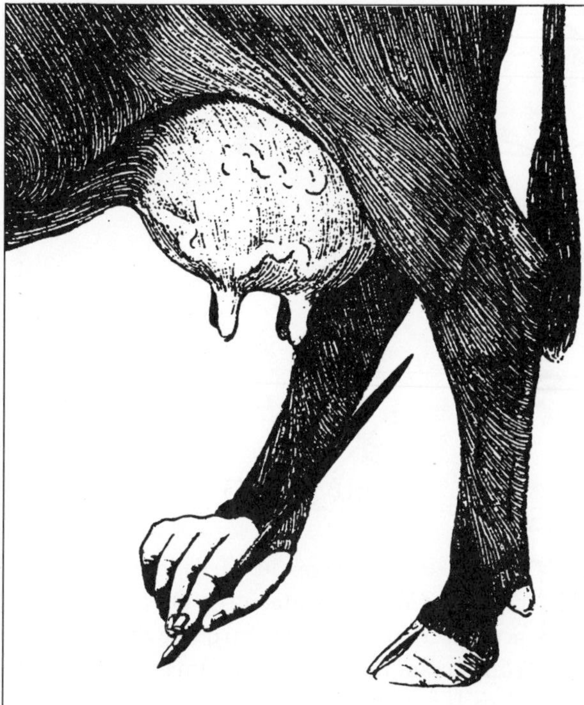

Causos/1

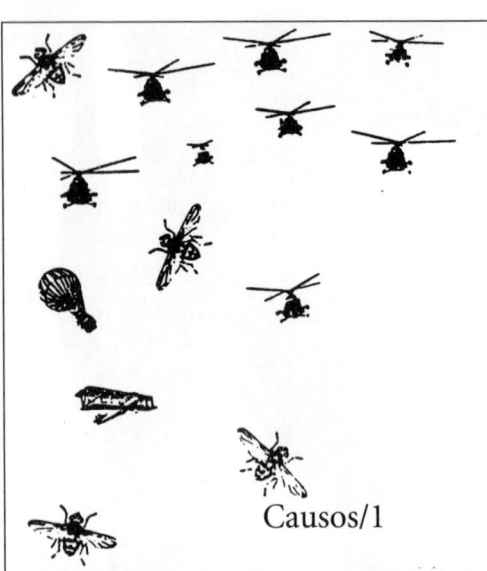

Nas fogueiras de Paysandú, Mellado Iturria conta causos. Conta acontecidos. Os acontecidos aconteceram alguma vez, ou quase aconteceram, ou não aconteceram nunca, mas têm uma coisa de bom: acontecem cada vez que são contados.

Este é o triste causo do bagrezinho do arroio Negro.

Tinha bigodes de arame farpado, era vesgo e de olhos saltados. Nunca Mellado tinha visto um peixe tão feio. O bagre vinha grudado em seus calcanhares desde a beira do arroio, e Mellado não conseguia espantá-lo. Quando chegou no casario, com o bagre feito sombra, já tinha se resignado.

Com o tempo, foi sentindo carinho pelo peixe. Mellado nunca tinha tido um amigo sem pernas. Desde o amanhecer o bagre o acompanhava para ordenhar e percorrer campo. Ao cair da tarde, tomavam chimarrão juntos; e o bagre escutava suas confidências.

Os cachorros, enciumados, olhavam o bagre com rancor; a cozinheira, com más intenções. Mellado pensou em dar um nome para o peixe, para ter como chamá-lo e para fazer-se respeitar, mas não conhecia nenhum nome de peixe, e batizá-lo de Sinforoso ou Hermenegildo poderia desagradar a Deus.

Estava sempre de olho nele. O bagre tinha uma notória tendência às diabruras. Aproveitava qualquer descuido e ia espantar as galinhas ou provocar os cachorros:

– *Comporte-se* – dizia Mellado ao bagre.

Certa manhã de muito calor, quando as lagartixas andavam de sombrinha e o bagrezinho se abanava furiosamente com as barbatanas, Mellado teve a ideia fatal:

– *Vamos tomar banho no arroio* – propôs.

Foram, os dois.

E o bagre se afogou.

Causos/2

Nos antigamentes, dom Verídico semeou casas e gentes em volta do botequim El Resorte, para que o botequim não se sentisse sozinho. Este causo aconteceu, dizem por aí, no povoado por ele nascido.

E dizem por aí que ali havia um tesouro, escondido na casa de um velhinho todo mequetrefe.

Uma vez por mês, o velhinho, que estava nas últimas, se levantava da cama e ia receber a pensão.

Aproveitando a ausência, alguns ladrões, vindos de Montevidéu, invadiram a casa.

Os ladrões buscaram e buscaram o tesouro em cada canto. A única coisa que encontraram foi um baú de madeira, coberto de trapos, num canto do porão. O tremendo cadeado que o defendia resistiu, invicto, ao ataque das gazuas.

E assim, levaram o baú. Quando finalmente conseguiram abri-lo, já longe dali, descobriram que o baú estava cheio de cartas. Eram as cartas de amor que o velhinho tinha recebido ao longo de sua longa vida.

Os ladrões iam queimar as cartas. Discutiram. Finalmente, decidiram devolvê-las. Uma por uma. Uma por semana.

Desde então, ao meio-dia de cada segunda-feira, o velhinho se sentava no alto da colina. E lá esperava que aparecesse o carteiro no caminho. Mal via o cavalo, gordo de alforjes, entre as árvores, o velhinho desandava a correr. O carteiro, que já sabia, trazia sua carta nas mãos.

E até São Pedro escutava as batidas daquele coração enlouquecido de alegria por receber palavras de mulher.

Causos/3

O que é a verdade? A verdade é uma mentira contada por Fernando Silva.

Fernando conta com o corpo inteiro, e não apenas com palavras, e pode se transformar em outra gente ou em bicho voador ou no que for, e faz isso de tal maneira que depois a gente escuta, por exemplo, o sabiá cantando num galho, e a gente pensa: *Esse passarinho está imitando Fernando quando imita o sabiá*.

Ele conta causos da linda gente do povo, da gente recém-criada, que ainda tem cheiro de barro; e também causos de alguns tipos extravagantes que ele conheceu, como aquele espelheiro que fazia espelhos e se metia neles, se perdia, ou aquele apagador de vulcões que o diabo deixou zarolho, por vingança, cuspindo em seu olho. Os causos acontecem em lugares onde Fernando esteve: o hotel que abria só para fantasmas, aquela mansão onde as bruxas morreram de chatice ou a casa de Ticuantepe, que era tão sombreada e fresca que a gente sentia vontade de ter, ali, uma namorada à nossa espera.

Além disso, Fernando trabalha como médico. Prefere as ervas aos comprimidos e cura a úlcera com plantas e ovo de pombo; mas prefere ainda a própria mão. Porque ele cura tocando. E contando, que é outra maneira de tocar.

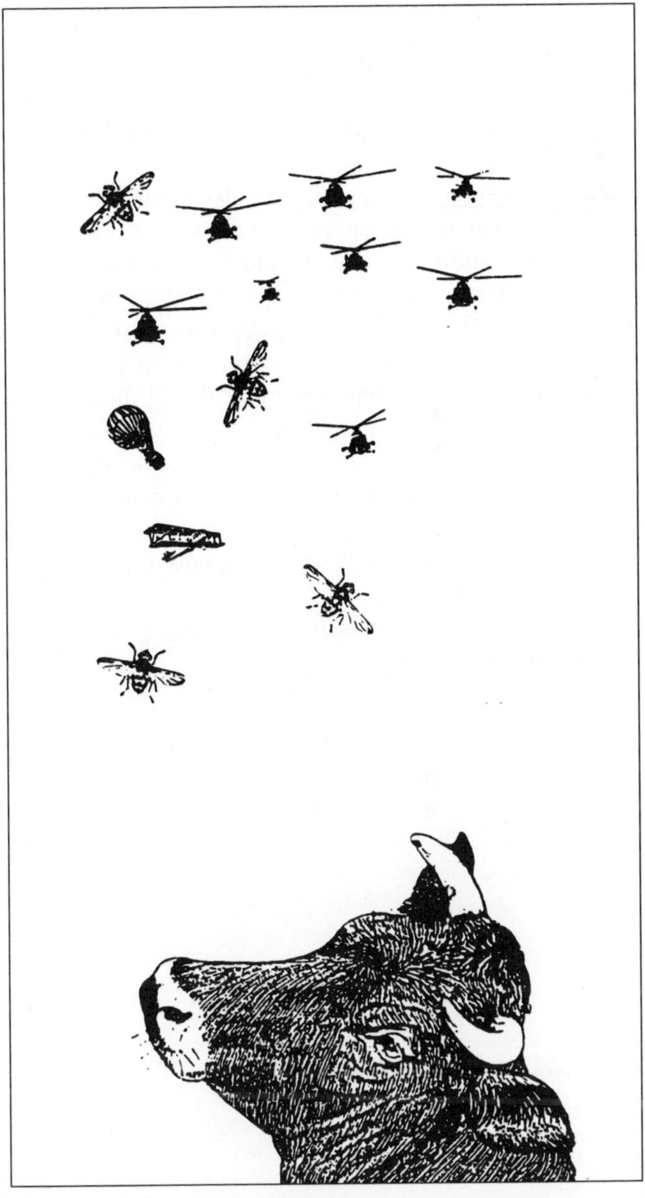

Noite de Natal

Fernando Silva dirige o hospital de crianças, em Manágua.

Na véspera do Natal, ficou trabalhando até muito tarde. Os foguetes espocavam e os fogos de artifício começavam a iluminar o céu quando Fernando decidiu ir embora. Em casa, esperavam por ele para festejar.

Fez um último percorrido pelas salas, vendo se tudo ficava em ordem, e estava nessa quando sentiu que passos o seguiam. Passos de algodão: virou e descobriu que um dos doentinhos andava atrás dele. Na penumbra, reconheceu-o. Era um menino que estava sozinho. Fernando reconheceu sua cara marcada pela morte e aqueles olhos que pediam desculpas, ou talvez pedissem licença.

Fernando aproximou-se e o menino roçou-o com a mão:

– *Diga para...* – sussurrou o menino. – *Diga para alguém que eu estou aqui.*

Os ninguéns

As pulgas sonham com comprar um cão, e os ninguéns com deixar a pobreza, que em algum dia mágico a sorte chova de repente, que chova a boa sorte a cântaros; mas a boa sorte não chove ontem, nem hoje, nem amanhã, nem nunca, nem uma chuvinha cai do céu da boa sorte, por mais que os ninguéns a chamem e mesmo que a mão esquerda coce, ou se levantem com o pé direito, ou comecem o ano mudando de vassoura.

Os ninguéns: os filhos de ninguém, os donos de nada.

Os ninguéns: os nenhuns, correndo soltos, morrendo a vida, fodidos e malpagos:

Que não são, embora sejam.

Que não falam idiomas, falam dialetos.

Que não praticam religiões, praticam superstições.

Que não fazem arte, fazem artesanato.

Que não são seres humanos, são recursos humanos.

Que não têm cultura, e sim folclore.

Que não têm cara, têm braços.

Que não têm nome, têm número.

Que não aparecem na história universal, aparecem nas páginas policiais da imprensa local.

Os ninguéns, que custam menos do que a bala que os mata.

A fome/1

Na saída de San Salvador, e indo na direção de Guazapa, Berta Navarro encontrou uma camponesa desalojada pela guerra, uma das milhares e milhares de camponesas desalojadas pela guerra. Em nada se distinguia das muitas outras, ou dos muitos outros, mulheres e homens que desceram da fome para a fome e meia. Mas esta camponesa mirrada e feia estava em pé no meio da desolação, sem nada de carne entre os ossos e a pele, e na mão tinha um passarinho mirrado e feio. O passarinho estava morto e ela arrancava muito lentamente suas penas.

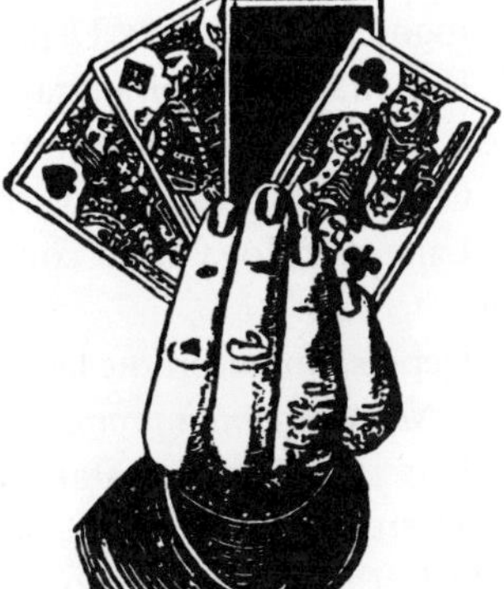

Crônica da cidade de Caracas

Preciso de alguém que me escute! – gritava.
– Dizem sempre que é para eu voltar amanhã! – gritava.

Jogou a camisa fora. Depois, as meias e os sapatos.

José Manuel Pereira estava parado na marquise de um décimo oitavo andar de um edifício em Caracas.

Os policiais quiseram agarrá-lo e não conseguiram.

Uma psicóloga falou com ele da janela mais próxima.

Depois, um sacerdote levou a ele a palavra de Deus.
– Não quero mais promessas! – gritava José Manuel.

Dos janelões do restaurante da Torre Sul, viam Manuel em pé na marquise, com as mãos pregadas na parede. Era a hora do almoço, e este acabou sendo o tema de conversa em todas as mesas.

Lá embaixo, na rua, tinha se juntado uma multidão.

Passaram-se seis horas.

No fim, as pessoas estavam cansadas.

– *Decida-se de uma vez!* – diziam as pessoas. – *Que se jogue de uma vez e pronto!* – pensavam.

Os bombeiros aproximaram uma corda. No começo, ele não deu confiança. Mas finalmente esticou uma das mãos, e depois outra, e agarrado na corda deslizou até o décimo sexto andar. Então tentou entrar pela janela aberta e escorregou e despencou no vazio. Ao bater no chão, o corpo fez um ruído de bomba que explode.

Então as pessoas foram embora, e foram embora os vendedores de sorvete e de cachorro-quente e os vendedores de cerveja e de refrigerantes em lata.

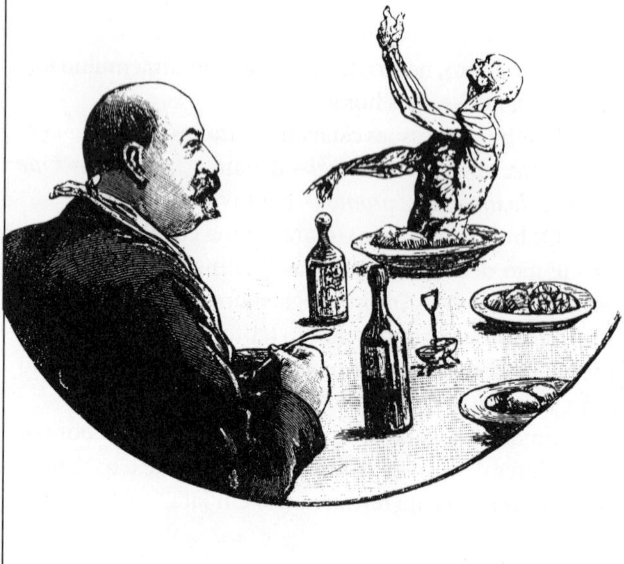

Anúncios

Vende-se:
— Uma negra meio boçal, da nação cabinda, pela quantidade de 430 pesos. Tem rudimentos de costurar e passar.

— Sanguessugas recém-chegadas da Europa, da melhor qualidade, por quatro, cinco e seis vinténs uma.

— Um carro, por quinhentos patacões, ou troca-se por negra.

— Uma negra, de idade de treze a catorze anos, sem vícios, de nação bangala.

— Um mulatinho de idade de onze anos, com rudimentos de alfaiate.

— Essência de salsaparrilha, a dois pesos o frasquinho.

— Uma primeiriça com poucos dias de parida. Não tem cria, mas tem abundante leite bom.

— Um leão, manso feito um cão, que come de tudo, e também uma cômoda e uma caixa de embuia.

— Uma criada sem vícios nem doenças, de nação conga, de idade de uns dezoito anos, e além disso um piano e outros móveis a preços cômodos.

(Dos jornais uruguaios de 1840, vinte e sete anos depois da abolição da escravatura.)

Crônica da cidade do Rio de Janeiro

No alto da noite do Rio de Janeiro, luminoso, generoso, o Cristo Redentor estende os braços. Debaixo desses braços os netos dos escravos encontram amparo.

Uma mulher descalça olha o Cristo, lá de baixo, e apontando seu fulgor, diz, muito tristemente:

– *Daqui a pouco, já não estará mais aí. Ouvi dizer que vão tirar Ele daí.*

– *Não se preocupe* – tranquiliza uma vizinha. – *Não se preocupe: Ele volta.*

A polícia mata muitos, e mais ainda mata a economia. Na cidade violenta soam tiros e também tambores: os atabaques, ansiosos de consolo e de vingança, chamam os deuses africanos. Cristo sozinho não basta.

Os numerinhos e as pessoas

Onde se recebe a *Renda per Capita*? Tem muito morto de fome querendo saber.

Em nossas terras, os numerinhos têm melhor sorte do que as pessoas. Quantos vão bem quando a economia vai bem? Quantos se desenvolvem com o desenvolvimento?

Em Cuba, a Revolução triunfou no ano mais próspero de toda a história econômica da ilha.

Na América Central, as estatísticas sorriam e riam quanto mais fodidas e desesperadas estavam as pessoas. Nas décadas de 50, de 60, de 70, anos atormentados, tempos turbulentos, a América Central exibia os índices de crescimento econômico mais altos do mundo e o maior desenvolvimento regional da história humana.

Na Colômbia, os rios de sangue cruzam os rios de ouro. Esplendores da economia, anos de dinheiro fácil: em plena euforia, o país produz cocaína, café e crimes em quantidades enlouquecidas.

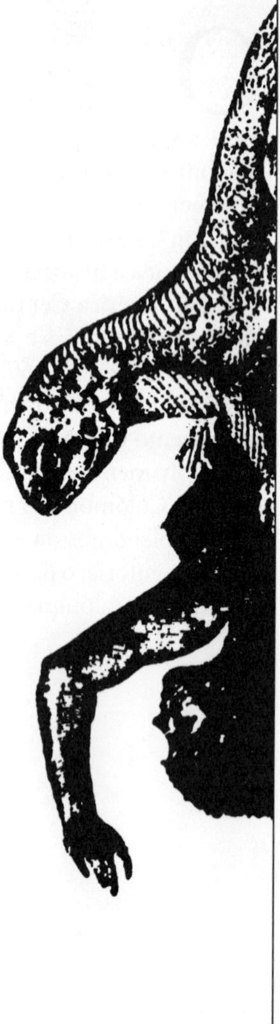

A fome/2

Um sistema de desvínculo: *Boi sozinho se lambe melhor...* O próximo, o outro, não é seu irmão, nem seu amante. O outro é um competidor, um inimigo, um obstáculo a ser vencido ou uma coisa a ser usada. O sistema, que não dá de comer, tampouco dá de amar: condena muitos à fome de pão e muitos mais à fome de abraços.

Crônica da cidade de Nova York

É madrugada e estou longe do hotel, bem ao sul da ilha de Manhattan. Tomo um táxi. Digo aonde vou em perfeito inglês, talvez ditado pelo fantasma de meu tataravô de Liverpool. O chofer me responde em perfeito castelhano de Guayaquil.

Começamos a rodar, e o chofer me conta a sua vida. Dispara a falar, e não para. Fala sem olhar para mim, com os olhos grudados no rio de luzes dos automóveis na avenida. Conta dos assaltos que sofreu, das vezes em que quiseram matá-lo, da loucura do trânsito nesta cidade de Nova York, e fala do sufoco, do compre, compre, use, jogue fora, seja comprado, seja usado, seja jogado, e aqui o negócio é abrir caminho na porrada, na base do esmague ou será esmagado, passam por cima de você, e ele está nessa desde que era garoto, desse jeito, desde que era um garoto recém-chegado do Equador – e conta que agora foi abandonado pela mulher.

A mulher foi-se embora depois de doze anos de casamento. Não é culpa dela, diz. Entro e tchau, diz. Ela nunca gozou, diz.

Diz que a culpa é da próstata.

Dizem as paredes/1

No setor infantil da Feira do Livro, em Bogotá:
O Loucóptero é muito veloz, mas muito lento.
Na avenida costeira de Montevidéu, na frente do rio-mar:
Um homem alado prefere a noite.
Na saída de Santiago de Cuba:
Como gasto paredes lembrando você!
E nas alturas de Valparaíso:
Eu nos amo.

Amares

Nos amávamos rodando pelo espaço e éramos uma bolinha de carne saborosa e suculenta, uma única bolinha quente que resplandecia e jorrava aromas e vapores enquanto dava voltas e voltas pelo sonho de Helena e pelo espaço infinito e rodando caía, suavemente caía, até parar no fundo de uma grande salada. E lá ficava, aquela bolinha que éramos ela e eu; e lá no fundo da salada víamos o céu. Surgíamos a duras penas através da folhagem cerrada das alfaces, dos ramos do aipo e do bosque de salsa, e conseguíamos ver algumas estrelas que andavam navegando no mais distante da noite.

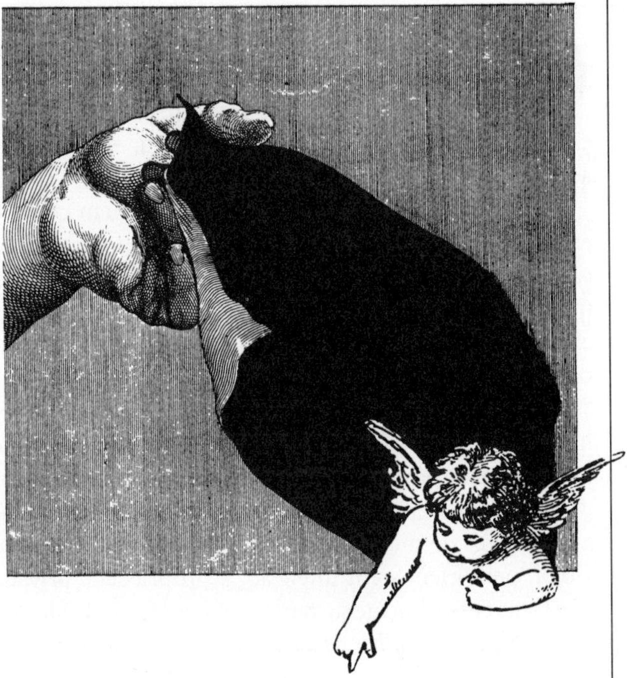

Teologia/1

O catecismo me ensinou, na infância, a fazer o bem por interesse e a não fazer o mal por medo. Deus me oferecia castigos e recompensas, me ameaçava com o inferno e me prometia o céu; e eu temia e acreditava.

Passaram-se os anos. Eu já não temo nem creio. E em todo caso – penso –, se mereço ser assado cozido no caldeirão do inferno, condenado ao fogo lento e eterno, que assim seja. Assim me salvarei do purgatório, que está cheio de horríveis turistas de classe média; e no final das contas, se fará justiça.

Sinceramente: merecer, mereço. Nunca matei ninguém, é verdade, mas por falta de coragem ou de tempo, e não por falta de querer. Não vou à missa aos domingos, nem nos dias de guarda. Cobicei quase todas as mulheres de meus próximos, exceto as feias, e assim violei, pelo menos em intenção, a propriedade privada que Deus pessoalmente sacramentou nas tábuas de Moisés: *Não cobiçarás a mulher de teu próximo nem seu touro, nem seu asno...* E como se fosse pouco, com premeditação e deslealdade, cometi o ato do amor sem o nobre propósito de reproduzir a mão de obra. Sei muito bem que o pecado carnal não é bem visto no céu; mas desconfio que Deus condena o que ignora.

Teologia/2

O deus dos cristãos, Deus da minha infância, não faz amor. Talvez o único deus que nunca fez amor, entre todos os deuses de todas as religiões da história humana. Cada vez que penso nisso, sinto pena dele. E então o perdoo por ter sido meu superpai castigador, chefe de polícia do universo, e penso que afinal Deus também foi meu amigo naqueles velhos tempos, quando eu acreditava Nele e acreditava que Ele acreditava em mim. Então preparo a orelha, na hora dos rumores mágicos, entre o pôr do sol e o nascer subir da noite, e acho que escuto suas melancólicas confidências.

Teologia/3

*E*rrata: onde o Antigo Testamento diz o que diz, deve dizer aquilo que provavelmente seu principal protagonista me confessou:

Pena que Adão fosse tão burro. Pena que Eva fosse tão surda. E pena que eu não soube me fazer entender.

Adão e Eva eram os primeiros seres humanos que nasciam da minha mão, e reconheço que tinham certos defeitos de estrutura, construção e acabamento. Eles não estavam preparados para escutar, nem para pensar. E eu... bem, eu talvez não estivesse preparado para falar. Antes de Adão e Eva, nunca tinha falado com ninguém. Eu tinha pronunciado belas frases, como "Faça-se a luz", mas sempre na solidão. E foi assim que, naquela tarde, quando encontrei Adão e Eva na hora da brisa, não fui muito eloquente. Não tinha prática.

A primeira coisa que senti foi assombro. Eles acabavam de roubar a fruta da árvore proibida, no centro do Paraíso. Adão tinha posto cara de general que acaba de entregar a espada e Eva olhava para o chão, como se contasse formigas. Mas os dois estavam incrivelmente jovens e belos e radiantes. Me surpreenderam. Eu os tinha feito; mas não sabia que o barro podia ser tão luminoso.

Depois, reconheço, senti inveja. Como ninguém pode me dar ordens, ignoro a dignidade da desobediência.

Tampouco posso conhecer a ousadia do amor, que exige dois. Em homenagem ao princípio de autoridade, contive a vontade de cumprimentá-los por terem-se feito subitamente sábios em paixões humanas.

Então, vieram os equívocos. Eles entenderam queda onde falei de voo. Acharam que um pecado merece castigo se for original. Eu disse que quem desama peca: entenderam que quem ama peca. Onde anunciei pradaria em festa, entenderam vale de lágrimas. Eu disse que a dor era o sal que dava gosto à aventura humana: entenderam que eu os estava condenando, ao outorgar-lhes a glória de serem mortais e loucos. Entenderam tudo ao contrário. E acreditaram.

Ultimamente ando com problemas de insônia. Há alguns milênios custo a dormir. E gosto de dormir, gosto muito, porque quando durmo, sonho. Então me transformo em amante ou amanta, me queimo no fogo fugaz dos amores de passagem, sou palhaço, pescador de alto-mar ou cigana adivinhadora da sorte; da árvore proibida devoro até as folhas e bebo e danço até rodar pelo chão...

Quando acordo, estou sozinho. Não tenho com quem brincar, porque os anjos me levam tão a sério, nem tenho a quem desejar. Estou condenado a me desejar. De estrela em estrela ando vagando, aborrecendo-me no universo vazio. Sinto-me muito cansado, me sinto muito sozinho. Eu estou sozinho, eu sou sozinho, sozinho pelo resto da eternidade.

A noite/1

Não consigo dormir. Tenho uma mulher atravessada entre minhas pálpebras. Se pudesse, diria a ela que fosse embora; mas tenho uma mulher atravessada em minha garganta.

O diagnóstico e a terapêutica

O amor é uma das doenças mais bravas e contagiosas. Qualquer um reconhece os doentes dessa doença. Fundas olheiras delatam que jamais dormimos, despertos noite após noite pelos abraços, ou pela ausência de abraços, e padecemos febres devastadoras e sentimos uma irresistível necessidade de dizer estupidezes.

O amor pode ser provocado deixando cair um punhadinho de pó-de-me-ame, como por descuido, no café ou na sopa ou na bebida. Pode ser provocado, mas não pode impedir. Não o impede nem a água benta, nem o pó de hóstia; tampouco o dente de alho, que nesse caso não serve para nada. O amor é surdo frente ao Verbo divino e ao esconjuro das bruxas. Não há decreto de governo que possa com ele, nem poção capaz de evitá-lo, embora as vivandeiras apregoem, nos mercados, infalíveis beberagens com garantia e tudo.

A noite/2

Arranque-me, senhora, as roupas e as dúvidas. Dispa-me, dispa-me.

As chamadas

A lua chama o mar e o mar chama o humilde fiapinho de água, que na busca do mar corre e corre de onde for, por mais longe que seja, e correndo cresce e avança e não há montanha que pare seu peito. O sol chama a parreira, que desejando sol se estica e sobe. O primeiro ar da manhã chama os cheiros da cidade que desperta, aroma de pão recém-dourado, aroma do café recém-moído, e os aromas do ar entram e do ar se apoderam. A noite chama as flores da dama-da-noite, e à meia-noite em ponto explodem no rio esses brancos fulgores que abrem o negror e se metem nele e o rompem e o comem.

A noite/3

Eu adormeço às margens de uma mulher: eu adormeço às margens de um abismo.

A pequena morte

Não nos provoca riso o amor quando chega ao mais profundo de sua viagem, ao mais alto de seu voo: no mais profundo, no mais alto, nos arranca gemidos e suspiros, vozes de dor, embora seja dor jubilosa, e pensando bem não há nada de estranho nisso, porque nascer é uma alegria que dói. *Pequena morte*, chamam na França a culminação do abraço, que ao quebrar-nos faz por juntar-nos, e perdendo-nos faz por encontrar-nos e acabando conosco nos principia. *Pequena morte*, dizem; mas grande, muito grande haverá de ser, se ao nos matar nos nasce.

A noite/4

Solto-me do abraço, saio às ruas.
No céu, já clareando, desenha-se, finita, a lua.
A lua tem duas noites de idade.
Eu, uma.

O devorador devorado

O polvo tem os olhos do pescador que o atravessa. É de terra o homem que será comido pela terra que lhe dá de comer. O filho come a mãe e a terra come o céu cada vez que recebe a chuva de seus peitos. A flor se fecha, glutona, sobre o bico do pássaro faminto de seus méis. Não há esperado que não seja esperador nem amante que não seja boca e bocado, devorador devorado: os amantes se comem entre si de ponta a ponta, todos todinhos, todo-poderosos, todo-possuídos, sem que fique sobrando a ponta de uma orelha ou um dedo do pé.

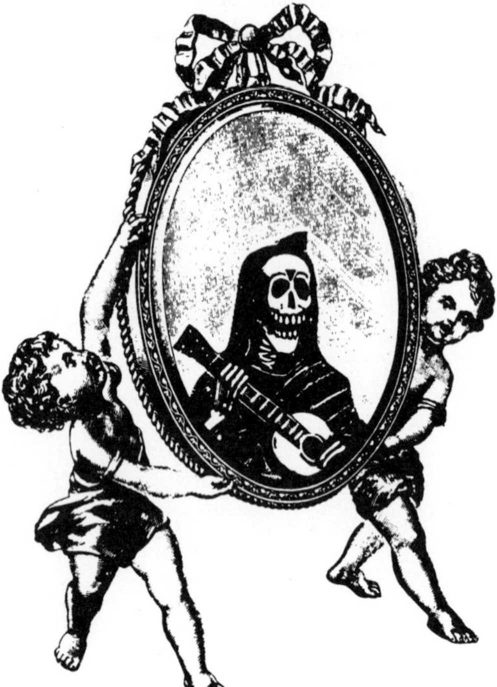

Dizem as paredes/2

Em Buenos Aires, na ponte da Boca:
Todos prometem e ninguém cumpre. Vote em ninguém.

Em Caracas, em tempos de crise, na entrada de um dos bairros mais pobres:
Bem-vinda, classe média.
Em Bogotá, pertinho da Universidade Nacional:
Deus vive.
Embaixo, com outra letra:
Só por milagre.
E também em Bogotá:
Proletários de todos os países, uni-vos!
Embaixo, com outra letra:
(Último aviso.)

A vida profissional/1

Em fins de 1987, Héctor Abad Gómez denunciou que a vida de um homem não valia mais do que oito dólares. Quando seu artigo foi publicado num jornal de Medellín, ele já tinha sido assassinado. Héctor Abad Gómez era o presidente da Comissão de Direitos Humanos.

Na Colômbia, é difícil morrer de doença.

– *Como vosmecê quer o cadáver?*

O matador recebe a metade, por conta. Carrega a pistola e faz o sinal da cruz. Pede a Deus que o ajude em seu trabalho.

Depois, se a pontaria não falhar, recebe a outra metade. E na igreja, de joelhos, agradece o favor divino.

Crônica da cidade de Bogotá

Quando as cortinas baixavam a cada fim de noite, Patricia Ariza, marcada para morrer, fechava os olhos. Em silêncio agradecia os aplausos do público e também agradecia outro dia de vida roubado da morte.

Patricia estava na lista dos condenados, por pensar à esquerda e viver de frente; e as sentenças estavam sendo executadas, implacavelmente, uma após a outra.

Até sem casa ela ficou. Uma bomba podia acabar com o edifício: os vizinhos, respeitadores da lei do silêncio, exigiram que ela se mudasse.

Patricia andava com um colete à prova de balas pelas ruas de Bogotá. Não tinha outro jeito; mas era um colete triste e feio. Um dia, Patricia pregou no colete algumas lantejoulas, e em outro dia, bordou umas flores coloridas, flores que desciam feito chuva sobre seus peitos, e assim o colete foi por ela alegrado e enfeitado, e seja como for, conseguiu acostumar-se a usá-lo sempre, e já não o tirava nem mesmo no palco.

Quando Patricia viajou para fora da Colômbia, para atuar em teatros europeus, ofereceu o colete antibalas a um camponês chamado Julio Cañón.

Julio Cañón, prefeito do povoado de Vistahermosa, tinha perdido à bala a família inteira, só como advertência, mas negou-se a usar o colete florido:

– *Eu não uso coisas de mulheres* – disse.

Com uma tesoura, Patricia arrancou os brilhos e as cores, e então o colete foi aceito pelo homem.

Naquela mesma noite ele foi crivado de balas. Com colete e tudo.

Elogio da arte da oratória

No poder, existe divisão de trabalho: o exército, os grupos armados e os assassinos profissionais cuidam das contradições sociais e da luta de classes. Os civis cuidam dos discursos.

Em Bogotá existem várias fábricas de discursos, embora só uma das empresas, a Fábrica Nacional de Discursos, tenha telefone registrado na lista. Estes estabelecimentos industriais discursaram as campanhas de numerosos candidatos à presidência, na Colômbia e nos países vizinhos, e habitualmente produzem discursos sob medida para interpelar ministros, inaugurar escolas ou cárceres, celebrar bodas ou aniversários e batizados, comemorar próceres da história ou elogiar defuntos que deixam vazios impossíveis de serem preenchidos:

– *Eu, talvez o menos indicado...*

A vida profissional/2

Têm o mesmo nome, o mesmo sobrenome. Ocupam a mesma casa e calçam os mesmos sapatos. Dormem no mesmo travesseiro, ao lado da mesma mulher. A cada manhã, o espelho lhes devolve a mesma cara. Mas ele e ele não são a mesma pessoa:

– *E eu, o que tenho a ver com isso?* – diz ele, falando dele, enquanto sacode os ombros.

– *Eu cumpro ordens* – diz, ou diz:

– *Sou pago para isso.*

Ou diz:

– *Se eu não fizer, outro faz.*

Que é como dizer:

– *Eu sou o outro.*

Frente ao ódio da vítima, o verdugo sente estupor, e até uma certa sensação de injustiça: afinal, ele é um funcionário, um simples funcionário que cumpre seu horário e suas tarefas. Terminada a jornada extenuante de trabalho, o torturador lava as mãos.

Ahmadou Gherab, que lutou pela independência da Argélia, me contou. Ahmadou foi torturado por um oficial francês durante vários meses. E a cada dia, às seis em ponto da tarde, o torturador secava o suor da fronte, desligava da tomada a máquina de dar choques e guardava os outros instrumentos de trabalho. Então se sentava ao lado do torturado e falava de sua mulher insuportável e do filho recém-nascido, que não deixara grudar o olho a noite inteira; falava contra Orã, esta cidade de merda, e contra o filho da puta do coronel que...

Ahmadou, ensanguentado, tremendo de dor, ardendo em febre, não dizia nada.

A vida profissional/3

Os banqueiros da grande bancaria do mundo, que praticam o terrorismo do dinheiro, podem mais do que os reis e os marechais e mais do que o próprio Papa de Roma. Eles jamais sujam as mãos. Não matam ninguém: se limitam a aplaudir o espetáculo.

Seus funcionários, os tecnocratas internacionais, mandam em nossos países: eles não são presidentes, nem ministros, nem foram eleitos em nenhuma eleição, mas decidem o nível dos salários e do gasto público, os investimentos e desinvestimentos, os preços, os impostos, os juros, os subsídios, a hora do nascer do sol e a frequência das chuvas.

Não cuidam, em troca, dos cárceres, nem das câmaras de tormento, nem dos campos de concentração, nem dos centros de extermínio, embora nesses lugares ocorram as inevitáveis consequências de seus atos.

Os tecnocratas reivindicam o privilégio da irresponsabilidade:

– *Somos neutros* – dizem.

Mapa-múndi/1

O sistema:
Com uma das mãos rouba o que com a outra empresta.
Suas vítimas:
Quanto mais pagam, mais devem.
Quanto mais recebem, menos têm.
Quanto mais vendem, menos compram.

Mapa-múndi/2

Ao Sul, a repressão. Ao Norte, a depressão.
Não são poucos os intelectuais do Norte que se casam com as revoluções do Sul só pelo prazer de ficarem viúvos. Prestigiosamente choram, choram a cântaros, choram mares, a morte de cada ilusão; e nunca demoram muito para descobrir que o socialismo é o caminho mais longo para chegar do capitalismo ao capitalismo.

A moda do Norte, moda universal, celebra a arte neutra e aplaude a víbora que morde a própria cauda e acha que é saborosa. A cultura e a política se converteram em artigos de consumo. Os presidentes são eleitos pela televisão, como os sabonetes, e os poetas cumprem uma função decorativa. Não há maior magia que a magia do mercado, nem outros heróis mais heróis do que os banqueiros.

A democracia é um luxo do Norte. Ao Sul é permitido o espetáculo, que não é negado a ninguém. E ninguém se incomoda muito, afinal, que a política seja democrática, desde que a economia não o seja. Quando as cortinas se fecham no palco, uma vez que os votos foram depositados nas urnas, a realidade impõe a lei do mais forte, que é a lei do dinheiro. Assim determina a ordem natural das coisas. No Sul do mundo, ensina o sistema, a violência e a fome não pertencem à história, mas à natureza, e a justiça e a liberdade foram condenadas a odiar-se entre si.

A desmemória/1

Estou lendo um romance de Louise Erdrich.
A certa altura, um bisavô encontra seu bisneto. O bisavô está completamente lelé *(seus pensamentos têm a cor da água)* e sorri com o mesmo beatífico sorriso de seu bisneto recém-nascido. O bisavô é feliz porque perdeu a memória que tinha. O bisneto é feliz porque não tem, ainda, nenhuma memória.

Eis aqui, penso, a felicidade perfeita. Não a quero.

A desmemória/2

O medo seca a boca, molha as mãos e mutila. O medo de saber nos condena à ignorância; o medo de fazer nos reduz à impotência. A ditadura militar, medo de escutar, medo de dizer, nos converteu em surdos e mudos. Agora a democracia, que tem medo de recordar, nos adoece de amnésia; mas não se necessita ser Sigmund Freud para saber que não existe tapete que possa ocultar a sujeira da memória.

O medo

Certa manhã, ganhamos de presente um coelhinho das Índias.
Chegou em casa numa gaiola. Ao meio-dia, abri a porta da gaiola.

Voltei para casa ao anoitecer e o encontrei tal e qual o havia deixado: gaiola adentro, grudado nas barras, tremendo por causa do susto da liberdade.

O rio do Esquecimento

A primeira vez que fui à Galícia, meus amigos me levaram ao rio do Esquecimento. Meus amigos me disseram que os legionários romanos, nos antigos tempos imperiais, tinham querido invadir aquelas terras, mas dali não haviam passado: paralisados de pânico, tinham parado nas margens daquele rio. E não o haviam atravessado nunca, porque quem cruza o rio do Esquecimento chega à outra margem sem saber quem é ou de onde vem.

Eu estava começando meu exílio na Espanha, e pensei: se bastam as águas de um rio para apagar a memória, o que acontecerá comigo, que atravessei um mar inteiro?

Mas eu tinha andado, percorrendo os pequenos povoados de Pontevedra e Orense, e tinha descoberto tavernas e cafés que se chamavam *Uruguay* ou *Venezuela* ou *Mi Buenos Aires Querido* e cantinas que ofereciam *parrilladas* ou *arepas*, e por tudo que era canto havia flâmulas do Peñarol e do Nacional e do Boca Juniors, e tudo aquilo era dos galegos que tinham regressado da América e sentiam, ali, saudades pelo avesso. Eles tinham ido embora de suas aldeias, exilados como eu, embora afugentados pela economia e não pela polícia, e depois de muitos anos estavam de volta à sua terra de origem, e nunca tinham esquecido nada. Nem ao ir embora, nem ao estar lá, nem ao voltar: nunca tinham esquecido nada. E agora tinham duas memórias e duas pátrias.

A desmemória/3

Nas ilhas francesas do Caribe, os textos de história ensinam que Napoleão foi o mais admirável guerreiro do Ocidente. Naquelas ilhas, Napoleão restabeleceu a escravidão em 1802. A sangue e fogo obrigou os negros livres a voltarem a ser escravos nas plantações. Disso, os textos não dizem nada. Os negros são os netos de Napoleão, não as suas vítimas.

A desmemória/4

Chicago está cheia de fábricas. Existem fábricas até no centro da cidade, ao redor do edifício mais alto do mundo. Chicago está cheia de fábricas, Chicago está cheia de operários.

Ao chegar ao bairro de Heymarket, peço aos meus amigos que me mostrem o lugar onde foram enforcados, em 1886, aqueles operários que o mundo inteiro saúda a cada primeiro de maio.

– *Deve ser por aqui* – me dizem. Mas ninguém sabe. Não foi erguida nenhuma estátua em memória dos mártires de Chicago na cidade de Chicago. Nem estátua, nem monolito, nem placa de bronze, nem nada.

O primeiro de maio é o único dia verdadeiramente universal da humanidade inteira, o único dia no qual coincidem todas as histórias e todas as geografias, todas as línguas e as religiões e as culturas do mundo; mas nos Estados Unidos, o primeiro de maio é um dia como qualquer outro. Nesse dia, as pessoas trabalham normalmente, e ninguém, ou quase ninguém, recorda que os direitos da classe operária não brotaram do vento, ou da mão de Deus ou do amo.

Após a inútil exploração de Heymarket, meus amigos me levam para conhecer a melhor livraria da cidade. E lá, por pura curiosidade, por pura casualidade, descubro um velho cartaz que está como que esperando por mim, metido entre muitos outros cartazes de música, rock e cinema.

O cartaz reproduz um provérbio da África: *Até que os leões tenham seus próprios historiadores, as histórias de caçadas continuarão glorificando o caçador.*

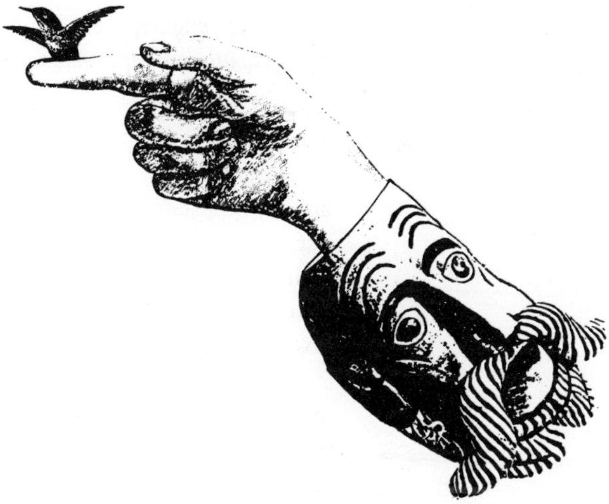

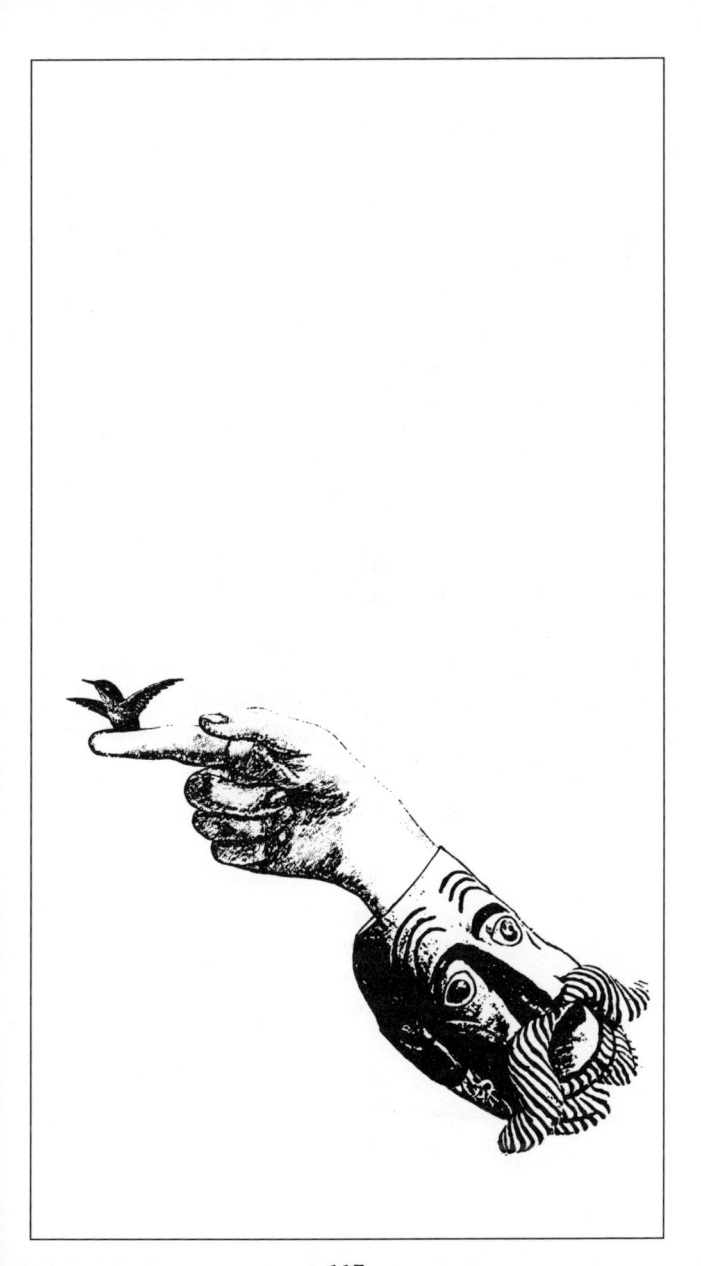

Celebração da subjetividade

Eu já estava há um bom tempo escrevendo *Memória do Fogo*, e quanto mais escrevia mais fundo ia nas histórias que contava. Começava a ser cada vez mais difícil distinguir o passado do presente: o que tinha sido estava sendo, e estava sendo à minha volta, e escrever era minha maneira de bater e abraçar. Supõe-se, porém, que os livros de história não são subjetivos.

Comentei isso tudo com José Coronel Urtecho: neste livro que estou escrevendo, pelo avesso e pelo direito, na luz ou na contraluz, olhando do jeito que for, surgem à primeira vista minhas raivas e meus amores.

E nas margens do rio San Juan, o velho poeta me disse que não se deve dar a menor importância aos fanáticos da objetividade:

– *Não se preocupe* – me disse. – *É assim que deve ser. Os que fazem da objetividade uma religião, mentem. Eles não querem ser objetivos, mentira: querem ser objetos, para salvar-se da dor humana.*

Celebração de bodas da razão com o coração

Para que a gente escreve, se não é para juntar nossos pedacinhos? Desde que entramos na escola ou na igreja, a educação nos esquarteja: nos ensina a divorciar a alma do corpo e a razão do coração.

Sábios doutores de Ética e Moral serão os pescadores das costas colombianas, que inventaram a palavra *sentipensador* para definir a linguagem que diz a verdade.

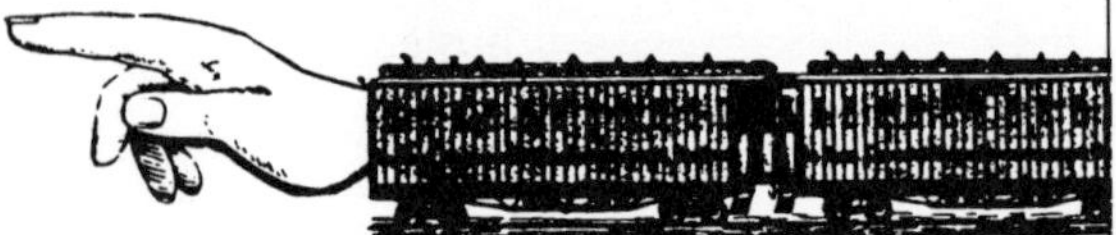

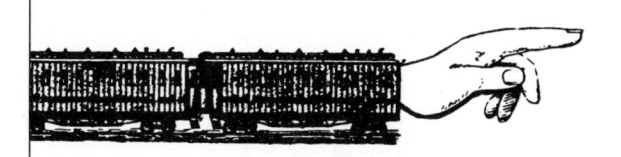

Divórcios

Um sistema de desvínculos: para que os calados não se façam perguntões, para que os opinados não se transformem em opinadores. Para que não se juntem os solitários, nem a alma junte seus pedaços.

O sistema divorcia a emoção do pensamento como divorcia o sexo do amor, a vida íntima da vida pública, o passado do presente. Se o passado não tem nada para dizer ao presente, a história pode permanecer adormecida, sem incomodar, no guarda-roupa onde o sistema guarda seus velhos disfarces.

O sistema esvazia nossa memória, ou enche a nossa memória de lixo, e assim nos ensina a repetir a história em vez de fazê-la. As tragédias se repetem como farsas, anunciava a célebre profecia. Mas entre nós, é pior: as tragédias se repetem como tragédias.

Celebração das contradições/1

Como trágica ladainha a memória boba se repete. A memória viva, porém, nasce a cada dia, porque ela vem do que foi e é contra o que foi.

Aufheben era o verbo que Hegel preferia, entre todos os verbos do idioma alemão. *Aufheben* significa, ao mesmo tempo, conservar e anular; e assim presta homenagem à história humana, que morrendo nasce e rompendo cria.

Celebração das contradições/2

Desamarrar as vozes, dessonhar os sonhos: escrevo querendo revelar o real maravilhoso, e descubro o real maravilhoso no exato centro do real horroroso da América.

Nestas terras, a cabeça do deus Elegguá leva a morte na nuca e a vida na cara. Cada promessa é uma ameaça; cada perda, um encontro. Dos medos nascem as coragens; e das dúvidas, as certezas. Os sonhos anunciam outra realidade possível, e os delírios, outra razão.

Somos, enfim, o que fazemos para transformar o que somos. A identidade não é uma peça de museu, quietinha na vitrine, mas a sempre assombrosa síntese das contradições nossas de cada dia.

Nessa fé, fugitiva, eu creio. Para mim, é a única fé digna de confiança, porque é parecida com o bicho humano, fodido mas sagrado, e à louca aventura de viver no mundo.

Crônica da Cidade do México

Meio século depois de Superman ter nascido em Nova York, Superbarrio anda pelas ruas e telhados da Cidade do México. O prestigioso norte-americano de aço, símbolo universal do poder, vive numa cidade chamada Metrópolis. Superbarrio, um mexicano qualquer de carne e osso, herói dos pobres, vive num subúrbio chamado Nezahualcóyotl.

Superbarrio tem barriga e pernas tortas. Usa máscara vermelha e capa amarela. Não luta contra múmias, fantasmas ou vampiros. Numa ponta da cidade enfrenta a polícia e salva uns mortos de fome de serem despejados; na outra ponta, ao mesmo tempo, encabeça uma manifestação em defesa dos direitos da mulher ou contra o envenenamento do ar; e no centro, enquanto isso, invade o Congresso Nacional e dispara um discurso denunciando as porcarias do governo.

Contrassímbolos

Por arte de alquimia ou diabrura popular, os símbolos se desinimigam e o veneno se transforma em pão.

Em Havana, a um passo da Casa das Américas, existe um monumento estranho: um par de sapatos de bronze no alto de um grande pedestal.

Os solitários sapatos pertenciam ao serviçal Tomás Estrada Palma. O povo em fúria derrubou sua estátua e aquilo foi a única coisa que sobrou.

Quando o século nascia, Estrada Palma tinha sido o primeiro presidente de Cuba, sob a ocupação colonial dos Estados Unidos.

Paradoxos

Se a contradição for o pulmão da história, o paradoxo deverá ser, penso eu, o espelho que a história usa para debochar de nós.

Nem o próprio filho de Deus salvou-se do paradoxo. Ele escolheu, para nascer, um deserto subtropical onde jamais nevou, mas a neve se converteu num símbolo universal do Natal desde que a Europa decidiu europeizar Jesus. E para mais *inri*, o nascimento de Jesus é, hoje em dia, o negócio que mais dinheiro dá aos mercadores que Jesus tinha expulsado do templo.

Napoleão Bonaparte, o mais francês dos franceses, não era francês. Não era russo Josef Stálin, o mais russo dos russos; e o mais alemão dos alemães, Adolf Hitler, tinha nascido na Áustria. Margherita Sarfatti, a mulher mais amada pelo antissemita Mussolini, era judia. José Carlos Mariátegui, o mais marxista dos marxistas latino-americanos, acreditava fervorosamente em Deus. O Che Guevara tinha sido declarado *completamente incapaz para a vida militar* pelo exército argentino.

Das mãos de um escultor chamado Aleijadinho, que era o mais feio dos brasileiros, nasceram as mais altas formosuras do Brasil. Os negros norte-americanos, os mais oprimidos, criaram o *jazz*, que é a mais livre das músicas. No fundo de um cárcere foi concebido o Dom Quixote, o mais andante dos cavaleiros. E cúmulo dos paradoxos, Dom Quixote nunca disse sua frase mais célebre. Nunca disse: *Ladram, Sancho, sinal que cavalgamos.*

"Acho que você está meio nervosa", diz o histérico. "Te odeio", diz a apaixonada. "Não haverá desvalorização", diz, na véspera da desvalorização, o ministro da Economia. "Os militares respeitam a Constituição", diz, na véspera do golpe de Estado, o ministro da Defesa.

Em sua guerra contra a revolução sandinista, o governo dos Estados Unidos coincidia, paradoxalmente, com o Partido Comunista da Nicarágua. E paradoxais foram, enfim, as barricadas sandinistas durante a ditadura de Somoza: as barricadas, que fechavam as ruas, abriam o caminho.

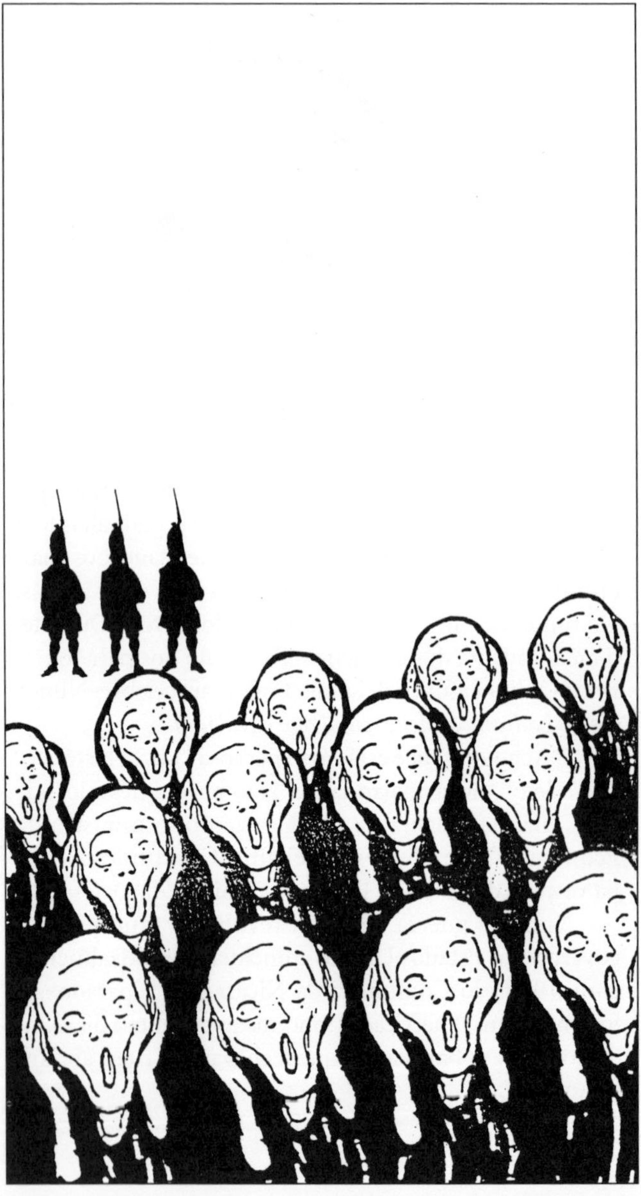

O sistema/1

Os funcionários não funcionam.
Os políticos falam mas não dizem.
Os votantes votam mas não escolhem.
Os meios de informação desinformam.
Os centros de ensino ensinam a ignorar.
Os juízes condenam as vítimas.
Os militares estão em guerra contra seus compatriotas.
Os policiais não combatem os crimes, porque estão ocupados cometendo-os.

As bancarrotas são socializadas, os lucros são privatizados.

O dinheiro é mais livre que as pessoas.
As pessoas estão a serviço das coisas.

Elogio ao bom-senso

Ao amanhecer de um dia nos fins de 1985, as rádios colombianas informaram:
A cidade de Armero sumiu do mapa.

O vulcão vizinho matou a cidade. Ninguém conseguiu correr mais rápido que a avalancha de lodo fervente: uma onda grande como o céu e quente como o inferno atropelou a cidade, jorrando vapor e rugindo fúrias de animal ruim, e engoliu trinta mil pessoas e todo o resto.

O vulcão vinha avisando há um ano. Um ano inteiro ficou jorrando fogo, e quando não podia esperar mais, descarregou sobre a cidade um bombardeio de trovões e uma chuva de cinzas, para que os surdos escutassem e os cegos enxergassem tanta advertência. Mas o prefeito dizia que o Governo Superior dizia que não havia motivos para alarme, e o padre dizia que o bispo dizia que Deus estava cuidando do assunto, e os géologos e os vulcanólogos diziam que tudo estava sob controle e fora de perigo.

A cidade de Armero morreu de civilização. Não tinha nem cumprido um século de vida. Não tinha hino nem escudo.

Os índios/1

Vindo de Temuco, adormeço na viagem.
De repente, os fulgores da paisagem me despertam. O vale de Repocura aparece e resplandece frente aos meus olhos, como se alguém tivesse aberto, de repente, as cortinas de outro mundo.

Mas estas terras já não são, como antes, de todos e de ninguém. Um decreto da ditadura de Pinochet rompeu as comunidades, obrigando os índios à solidão. Eles insistem, porém, em juntar suas pobrezas, e ainda trabalham juntos, dizem juntos:

– *Vocês vivem uma ditadura há quinze anos* – explicam aos meus amigos chilenos. – *Nós, há cinco séculos.*

Nos sentamos em círculo. Estamos reunidos em um centro médico que não tem, nem nunca teve, um médico, nem um estagiário, nem enfermeiro, nem nada.

– *A gente é para morrer, e só* – diz uma das mulheres.

Os índios, culpados por serem incapazes de propriedade privada, não existem.

No Chile não existem índios: apenas chilenos – dizem os cartazes do governo.

Os índios/2

A linguagem como traição: gritam *carrascos* para eles. No Equador, os carrascos chamam de carrascos as suas vítimas:

– *Índios carrascos!* – gritam.

De cada três equatorianos, um é índio. Os outros dois cobram dele, todos os dias, a derrota histórica.

– *Somos os vencidos. Ganharam a guerra. Nós perdemos por acreditar neles. Por isso* – me diz Miguel, nascido no fundo da selva amazônica.

São tratados como os negros na África do Sul: os índios não podem entrar nos hotéis ou nos restaurantes.

– *Na escola metiam a lenha em mim quando eu falava a nossa língua* – me conta Lucho, nascido ao sul da serra.

– *Meu pai me proibia de falar quechua. É pelo seu bem, me dizia* – recorda Rosa, a mulher de Lucho.

Rosa e Lucho vivem em Quito. Estão acostumados a ouvir:

– *Índio de merda.*

Os índios são bobos, vagabundos, bêbados. Mas o sistema que os despreza, despreza o que ignora, porque ignora o que teme. Por trás da máscara do desprezo, aparece o pânico: estas vozes antigas, teimosamente vivas, o que dizem? O que dizem quando falam? O que dizem quando calam?

As tradições futuras

Existe um único lugar onde o ontem e o hoje se encontram e se reconhecem e se abraçam, e este lugar é o amanhã.

Soam como futuras certas vozes do passado americano muito antigo. As antigas vozes, digamos, que ainda nos dizem que somos filhos da terra, e que mãe a gente não vende nem aluga. Enquanto chovem pássaros mortos sobre a Cidade do México e os rios se transformam em cloacas, os mares em depósitos de lixo e as selvas em deserto, essas vozes teimosamente vivas nos anunciam outro mundo que não seja este, envenenador da água, do solo, do ar e da alma.

Também nos anunciam outro mundo possível as vozes antigas que nos falam de comunidade. A comunidade, o modo comunitário de produção e de vida, é a mais remota tradição das Américas, a mais americana de todas: pertence aos primeiros tempos e às primeiras pessoas, mas pertence também aos tempos que vêm e pressentem um novo Mundo Novo. Porque nada existe menos estrangeiro que o socialismo nestas terras nossas. Estrangeiro é, na verdade, o capitalismo: como a varíola, como a gripe, veio de longe.

O reino das baratas

Quando visitei Cedric Belfrage em Cuernavaca, a cidade de Los Angeles já continha dezesseis milhões de pessomóveis, gente com rodas no lugar das pernas, e portanto não se parecia muito à cidade que ele tinha conhecido quando chegou a Hollywood na época do cinema mudo, e nem se parecia à cidade que Cedric ainda amava quando o senador MacCarthy expulsou-o durante a caça às bruxas.

Desde a expulsão, Cedric vive em Cuernavaca. Alguns amigos, sobreviventes dos velhos tempos, aparecem de vez em quando em sua casa ampla e luminosa, e também aparece, de vez em quando, uma misteriosa borboleta branca que bebe tequila.

Eu vinha de Los Angeles e tinha estado no bairro onde Cedric vivera, mas ele não me perguntou de Los

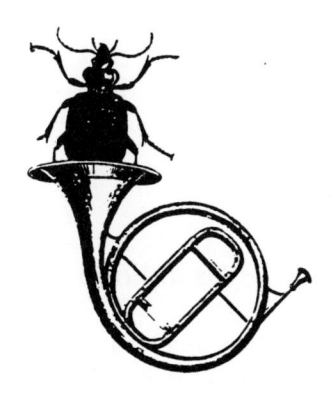

Angeles. Los Angeles não interessava, ou ele fazia de conta que não interessava. Em compensação, perguntou-me pelos meus dias no Canadá, e começamos a falar da chuva ácida. Os gases venenosos das fábricas, devolvidos à terra lá das nuvens, já tinha exterminado catorze mil lagos no Canadá. Não havia mais vida nenhuma, nem plantas nem peixes nesses catorze mil lagos. Eu tinha visto uma pequena parte daquela catástrofe.

O velho Cedric olhou-me com seus grandes olhos transparentes e simulou ajoelhar-se perante os que vão reinar sobre a terra:

– *Nós, os seres humanos, abdicamos do planeta* – proclamou – *em favor das baratas.*

Então trouxe a garrafa e encheu os copos:

– *Um golinho, enquanto podemos.*

Os índios/3

Jean-Marie Simon soube na Guatemala. Aconteceu no final de 1983, numa aldeia chamada Tabil, no sul de Quichê.

Os militares vinham em sua campanha de aniquilamento das comunidades indígenas. Tinham apagado do mapa quatrocentas aldeias em menos de três anos. Queimavam plantações, matavam índios: queimavam até a raiz, matavam até as crianças. *Vamos deixá-los sem nenhuma semente*, anunciava o coronel Horacio Maldonado Shadd.

E assim chegaram, na tarde de certo dia, na aldeia de Tabil.

Vinham arrastando cinco prisioneiros, amarrados pelos pés e pelas mãos e desfigurados pelos golpes. Os cinco eram da aldeia, nascidos ali, vividos ali, ali multiplicados, mas o oficial disse que eram cubanos inimigos da pátria: a comunidade devia resolver que castigo mereciam, e executar o castigo. No caso de resolverem fuzilá-los, deixava as armas carregadas. E disse que lhes dava prazo até o meio-dia do dia seguinte.

Em assembleia, os índios discutiram:
– *Esses homens são nossos irmãos. Esses homens são inocentes. Se não os matarmos os soldados nos matam.*

Passaram a noite inteira discutindo. Os prisioneiros, no centro da reunião, escutavam.

Chegou o amanhecer e todos estavam como no começo. Não tinham chegado a nenhuma decisão e sentiam-se cada vez mais confusos.

Então pediram ajuda aos deuses: aos deuses maias, e ao deus dos cristãos.

Esperaram em vão pela resposta. Nenhum deus disse nada. Todos os deuses estavam mudos.

Enquanto isso, os soldados esperavam, numa colina vizinha.

As pessoas de Tabil viam como o sol ia se erguendo, implacável, na direção do alto céu. Os prisioneiros, em pé, calavam.

Pouco antes do meio-dia, os soldados escutaram os tiros.

Os índios/4

Na ilha de Vancouver, conta Ruth Benedict, os índios celebravam torneios para medir a grandeza dos príncipes. Os rivais competiam destruindo seus bens. Atiravam ao fogo suas canoas, seu azeite de peixe e suas ovas de salmão; e do alto de um promontório jogavam no mar suas mantas e vasilhas.

Vencia o que se despojava de tudo.

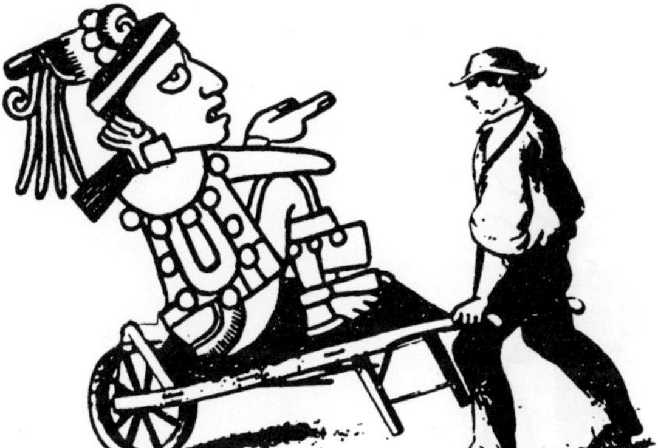

A cultura do terror/1

A Sociedade Antropológica de Paris os classificava como se fossem insetos: a cor da pele dos índios huitotos correspondia aos números 29 e 30 de sua escala cromática.

A Peruvian Amazon Company os caçava como se fossem feras: os índios huitotos eram a mão de obra escrava que dava borracha ao mercado mundial. Quando os índios fugiam das plantações e a empresa os agarrava, eram envolvidos numa bandeira do Peru empapada em querosene e queimados vivos.

Michael Taussig estudou a cultura do terror que a civilização capitalista aplicava na selva amazônica no começo do século 20. A tortura não era um método para arrancar informações, mas uma cerimônia de confirmação do poder. Num longo e solene ritual, os índios rebeldes tinham suas línguas cortadas e *depois* eram torturados, para que falassem.

A cultura do terror/2

A extorsão,
o insulto,
a ameaça,
o cascudo,
a bofetada,
a surra,
o açoite,
o quarto escuro,
a ducha gelada,
o jejum obrigatório,
a comida obrigatória,
a proibição de sair,
a proibição de se dizer o que se pensa,
a proibição de fazer o que se sente,
e a humilhação pública
são alguns dos métodos de penitência e tortura tradicionais na vida da família. Para castigo à desobediência e exemplo de liberdade, a tradição familiar perpetua uma cultura do terror que humilha a mulher, ensina os filhos a mentir e contagia tudo com a peste do medo.

– *Os direitos humanos deveriam começar em casa* – comenta comigo, no Chile, Andrés Domínguez.

A cultura do terror/3

Sobre uma menina exemplar:
Uma menina brinca com duas bonecas e briga com elas para que fiquem quietas. Ela também parece uma boneca porque é linda e boazinha e porque não incomoda ninguém.

(Do livro *Adelante*, de J. H. Figueira, que foi livro escolar nas escolas do Uruguai até poucos anos atrás.)

A cultura do terror/4

Foi num colégio de padres, em Sevilha. Um menino de nove ou dez anos estava confessando seus pecados pela primeira vez. O menino confessou que tinha roubado caramelos, ou que tinha mentido para a mãe, ou que tinha copiado do colega de classe, ou talvez tenha confessado que tinha se masturbado pensando na prima. Então, da escuridão do confessionário emergiu a mão do padre, que brandia uma cruz de bronze. O padre obrigou o menino a beijar Jesus crucificado, e enquanto batia com a cruz em sua boca, dizia:

– *Você o matou, você o matou...*

Julio Vélez era aquele menino andaluz ajoelhado. Passaram-se muitos anos. Ele nunca pôde arrancar isso da memória.

A cultura do terror/5

Ramona Caraballo foi dada de presente assim que aprendeu a caminhar.
Lá por 1950, sendo ainda menina, ela estava como escravazinha numa casa de Montevidéu. Fazia de tudo, a troco de nada.

Um dia, a avó chegou para visitá-la. Ramona não a conhecia, ou não se lembrava dela. A avó chegou vinda do interior, do campo, muito apressada porque tinha que regressar em seguida. Entrou, deu uma tremenda surra na neta, e foi embora.

Ramona ficou chorando e sangrando.

A avó tinha dito, enquanto erguia o rebenque:

– *Você não está apanhando por causa do que fez. Está apanhando por causa do que vai fazer.*

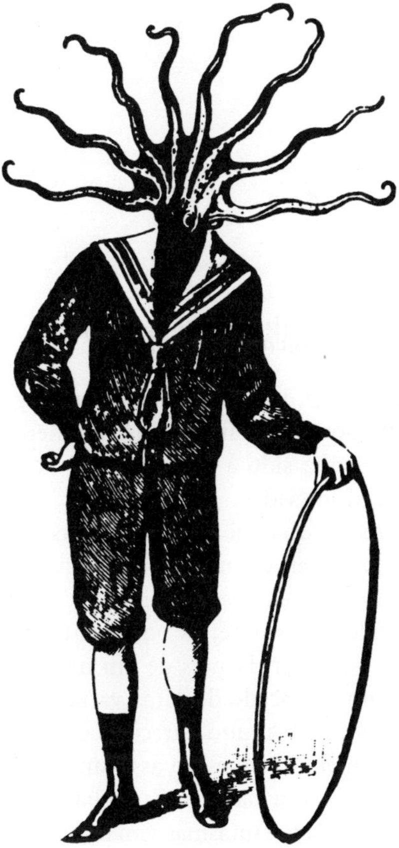

A cultura do terror/6

Pedro Algorta, advogado, mostrou-me o gordo expediente do assassinato de duas mulheres. O crime duplo tinha sido à faca, no final de 1982, num subúrbio de Montevidéu.

A acusada, Alma Di Agosto, tinha confessado. Estava presa fazia mais de um ano; e parecia condenada a apodrecer no cárcere o resto da vida.

Seguindo o costume, os policiais tinham violado e torturado a mulher. Depois de um mês de contínuas surras, tinham arrancado de Alma várias confissões. As confissões não eram muito parecidas entre si, como se ela tivesse cometido o mesmo assassinato de maneiras muito diferentes. Em cada confissão havia personagens diferentes, pitorescos fantasmas sem nome ou domicílio, porque a máquina de dar choques converte qualquer um em fecundo romancista; e em todos os casos a autora demonstrava ter a agilidade de uma atleta olímpica, os músculos de uma forçuda de parque de diversões e a destreza de uma matadora profissional. Mas o que mais surpreendia era a riqueza de detalhes: em cada confissão, a acusada descrevia com precisão milimétrica roupas, gestos, cenários, situações, objetos...

Alma Di Agosto era cega.

Seus vizinhos, que a conheciam e gostavam dela, estavam convencidos de que ela era culpada:

– *Por quê?* – perguntou o advogado.
– *Porque os jornais dizem.*
– *Mas os jornais mentem* – disse o advogado.
– *Mas o rádio também diz* – explicaram os vizinhos.
– *E até a televisão!*

A televisão/1

Era um pulgueiro dos subúrbios, o mais barato que havia em Santa Fé e em toda a República Argentina, um galpão mambembe que caía aos pedaços, mas Fernando Birri não perdia nenhum filme ou cerimônia que era celebrada na escuridão daquele grandioso templo da infância.

Nesse cinema, o cinema *Doré*, Fernando viu uma vez uns episódios sobre os mistérios do Egito Antigo. Havia um faraó, sentado em seu trono na frente de um poço. O faraó parecia adormecido, mas com um dedo enroscava a barba. Nisso, abria os olhos e fazia um sinal. Então o mago do reino pronunciava um esconjuro e as águas do poço se alvorotavam e se incendiavam. Quando as chamas se apagavam e as águas serenavam, o faraó se inclinava sobre o poço. Ali, nas águas transparentes, ele via tudo o que naquele momento estava acontecendo no Egito e no mundo.

Meio século depois, evocando o faraó de sua infância, Fernando teve uma certeza: aquele poço mágico, onde se via tudo o que acontecia, era um aparelho de televisão.

A televisão/2

A televisão mostra o que acontece?
Em nossos países, a televisão mostra o que ela quer que aconteça; e nada acontece se a televisão não mostrar.

A televisão, essa última luz que te salva da solidão e da noite, é a realidade. Porque a vida é um espetáculo: para os que se comportam bem, o sistema promete uma boa poltrona.

A cultura do espetáculo

Fora das telas, o mundo é uma sombra indigna de confiança.

Antes da televisão, antes do cinema, já era assim. Quando Búfalo Bill agarrava algum índio distraído e conseguia matá-lo, rapidamente procedia a arrancar-lhe o couro cabeludo e as plumas e demais troféus e de um galope ia do Oeste aos teatros de Nova York, onde ele mesmo representava a façanha heroica que acabava de protagonizar. Então, quando as cortinas se abriam e Búfalo Bill erguia sua faca ensanguentada no palco, à luz de candelabros, então ocorria, pela primeira vez ocorria, de verdade ocorria, a realidade.

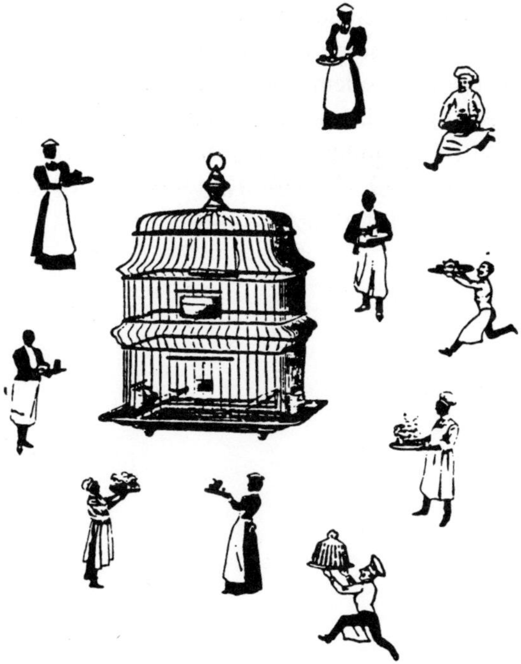

A televisão/3

A tevê dispara imagens que reproduzem o sistema e as vozes que lhe fazem eco; e não há canto do mundo que ela não alcance. O planeta inteiro é um vasto subúrbio de Dallas. Nós comemos emoções importadas como se fossem salsichas em lata, enquanto os jovens filhos da televisão, treinados para contemplar a vida em vez de fazê-la, sacodem os ombros.

Na América Latina, a liberdade de expressão consiste no direito ao resmungo em algum rádio ou em jornais de escassa circulação. Os livros não precisam ser proibidos pela polícia: os preços já os proíbem.

A dignidade da arte

Eu escrevo para os que não podem me ler. Os de baixo, os que esperam há séculos na fila da história, não sabem ler ou não tem com o quê.

Quando chega o desânimo, me faz bem recordar uma lição de dignidade da arte que recebi há anos, num teatro de Assis, na Itália. Helena e eu tínhamos ido ver um espetáculo de pantomima, e não havia ninguém. Ela e eu éramos os únicos espectadores. Quando a luz se apagou, juntaram-se a nós o lanterninha e a mulher da bilheteria. E, no entanto, os atores, mais numerosos que o público, trabalharam naquela noite como se estivessem vivendo a glória de uma estreia com lotação esgotada. Fizeram sua tarefa entregando-se inteiros, com tudo, com alma e vida; e foi uma maravilha.

Nossos aplausos ressoaram na solidão da sala. Nós aplaudimos até esfolar as mãos.

A televisão/4

Rosa Maria Mateo, uma das figuras mais populares da televisão espanhola, me contou essa história. Uma mulher tinha escrito uma carta para ela, de algum lugarzinho perdido, pedindo que por favor contasse a verdade:

– *Quando eu olho para a senhora, a senhora está olhando para mim?*

Rosa Maria me contou, e disse que não sabia o que responder.

A televisão/5

Nos verões, a televisão uruguaia dedica longos programas a Punta del Este.

Mais interessadas nas coisas do que nas pessoas, as câmaras chegam ao êxtase quando exibem as casas dos ricos que estão de férias. Estas mansões ostentosas se parecem aos mausoléus de mármore e bronze no cemitério de La Recoleta, em Buenos Aires, que é a Punta del Este do depois.

Pela tela desfilam os eleitos e seus símbolos de poder. O sistema, que edifica a pirâmide social escolhendo pelo avesso, recompensa pouca gente. Eis aqui os premiados: são os usurários de boas unhas e os mercadores de dentes bons, os políticos de nariz crescente e os doutores de costas de borracha.

A televisão se propõe a adular os que mandam no rio da Prata, mas sem querer cumpre uma função educativa exemplar: nos mostra os picos culminantes e neles dilata a breguice e o mau gosto dos triunfantes caçadores de dinheiro.

Debaixo da aparente estupidez, existe a estupidez verdadeira.

Celebração da desconfiança

No primeiro dia de aula, o professor trouxe um vidro enorme:
— *Isto está cheio de perfume* — disse a Miguel Brun e aos outros alunos. — *Quero medir a percepção de cada um de vocês. Na medida em que sintam o cheiro, levantem a mão.*

E abriu o frasco. Num instante, já havia duas mãos levantadas. E logo cinco, dez, trinta, todas as mãos levantadas.

— *Posso abrir a janela, professor?* — suplicou uma aluna, enjoada de tanto perfume, e várias vozes fizeram eco. O forte aroma, que pesava no ar, tinha se tornado insuportável para todos.

Então o professor mostrou o frasco aos alunos, um por um. Estava cheio de água.

A cultura do terror/7

O colonialismo visível te mutila sem disfarce: te proíbe de dizer, te proíbe de fazer, te proíbe de ser. O colonialismo invisível, por sua vez, te convence de que a servidão é um destino, e a impotência, a tua natureza: te convence de que *não se pode* dizer, *não se pode* fazer, *não se pode* ser.

A alienação/1

Em meus anos moços, fui caixa de banco.
Recordo, entre os clientes, um fabricante de camisas. O gerente do banco renovava suas promissórias só por piedade. O pobre camiseiro vivia em perpétua soçobra. Suas camisas não eram ruins, mas ninguém as comprava.

Certa noite, o camiseiro foi visitado por um anjo. Ao amanhecer, quando despertou, estava iluminado. Levantou-se de um salto.

A primeira coisa que fez foi trocar o nome de sua empresa, que passou a se chamar Uruguai Sociedade Anônima, patriótico nome cuja sigla é U. S. A. A segunda coisa que fez foi pregar nos colarinhos de suas camisas uma etiqueta que dizia, e não mentia: *Made in U. S. A.* A terceira coisa que fez foi vender camisas feito louco. E a quarta coisa que fez foi pagar o que devia e ganhar muito dinheiro.

A alienação/2

Os que mandam acreditam que melhor é quem melhor copia. A cultura oficial exalta as virtudes do macaco e do papagaio. A alienação na América Latina: um espetáculo de circo. Importação, impostação: nossas cidades estão cheias de arcos do triunfo, obeliscos e partenons. A Bolívia não tem mar, mas tem almirantes disfarçados de Lord Nelson. Lima não tem chuva, mas tem telhados a duas águas e com calha. Em Manágua, uma das cidades mais quentes do mundo, condenada à fervura perpétua, existem mansões que ostentam soberbas lareiras, e nas festas de Somoza as damas da sociedade exibiam estolas de raposa prateada.

A alienação/3

Alaistair Reid escreve para *The New Yorker*, mas quase não vai a Nova York.

Ele prefere viver numa praia perdida da República Dominicana. Nessa praia desembarcou Cristóvão Colombo, alguns séculos atrás, numa de suas excursões ao Japão, e desde aqueles tempos nada mudou.

De vez em quando, o carteiro aparece entre as árvores. O carteiro vem dobrado debaixo da carga. Alaistair recebe montanhas de correspondência. Dos Estados Unidos é bombardeado por ofertas comerciais, folhetos, catálogos, luxuriosas tentações da civilização de consumo incitando a comprar.

Uma vez, entre muita papelada, chegou a propaganda de uma máquina de remar. Alaistair mostrou-a a seus vizinhos, os pescadores.

– *Dentro de casa? Se usa dentro de casa?*

Os pescadores não conseguiam acreditar.

— *Sem água? Rema-se assim, sem água?*
Não podiam acreditar, não podiam entender:
— *E sem peixes? Sem sol? E sem céu?*
Os pescadores disseram a Alaistair que eles se levantavam todas as noites, muito antes do alvorecer, e se metiam mar adentro e jogavam suas redes enquanto o sol se erguia no horizonte, e que essa era a sua vida, e que gostavam daquela vida, mas que remar era a única coisa de merda naquele assunto inteiro:
— *Remar é a única coisa que odiamos* — disseram os pescadores.
Então Alaistair explicou-lhes que a máquina de remar servia para fazer ginástica.
— *Para quê?*
— *Ginástica.*
— *Ah, bom. E o que é ginástica?*

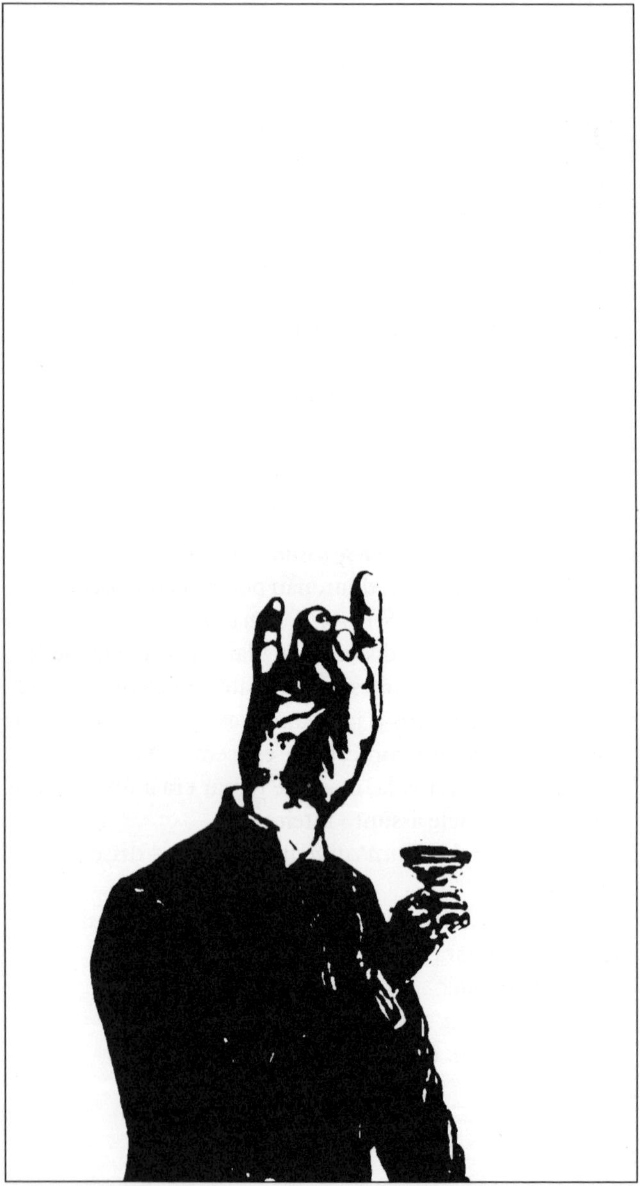

Dizem as paredes/3

Em Montevidéu, no bairro Braço Oriental:
Estamos aqui sentados, vendo como matam os nossos sonhos.

E, no cais na frente do porto de Buceo, em Montevidéu:

Bagre velho: não se pode viver com medo a vida inteira.

Em letras vermelhas, ao longo de um quarteirão inteiro da avenida Cólon, em Quito:

E se nos juntarmos para dar um chute nesta grande bolha cinzenta?

Nomes/1

As pessoas, os bichos e as coisas acudiam à casa dos nomes, querendo chamar-se. Os nomes tiniam, oferecendo-se: prometiam bons sons e longos ecos. A casa estava sempre cheia de pessoas e bichos e coisas experimentando nomes. Helena sonhou com a casa dos nomes e lá descobriu a cachorrinha Pepa Lumpen, que estava à procura de um nome mais respeitável.

Nomes/2

Arturo Alape conta que Manuel Marulanda Vélez, o famoso guerrilheiro colombiano, não se chamava assim. Há quarenta anos, quando empunhou armas, ele se chamava Pedro Antonio Marín. Naquela época, Marulanda era outro: negro de pele, grandalhão de tamanho, pedreiro de ofício e canhoto de ideias. Quando os policiais espancaram Marulanda até matá-lo, seus companheiros se reuniram em assembleia e decidiram que Marulanda não podia se acabar. Por unanimidade deram seu nome a Marín, que o carrega desde aquele tempo.

O mexicano Pancho Villa também levava o nome de um amigo morto pela polícia.

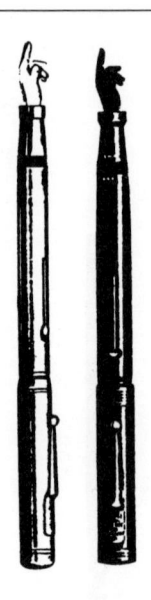

Nomes/3

Assino Galeano, que é meu sobrenome materno, desde os tempos em que comecei a escrever. Isto aconteceu quando eu tinha dezenove anos, ou talvez apenas alguns dias, porque chamar-me assim foi um modo de nascer de novo.

Antes, quando era garoto e publicava desenhos, assinava Gius, por causa da difícil pronúncia espanhola de meu sobrenome paterno (meu tataravô galês se chamava Hughes, e aos quinze anos fez-se ao mar no porto de Liverpool e chegou ao Caribe, à República Dominicana, e tempos depois ao Rio de Janeiro, e finalmente a Montevidéu. Em Montevidéu atirou ao arroio Miguelete seu anel de maçom, e nos campos de Paysandú cravou as primeiras cercas de arame farpado e fez-se dono de terras e gentes, e morreu há mais de um século, enquanto traduzia *Martín Fierro* para o inglês).

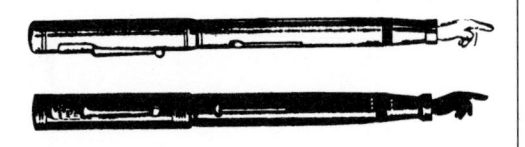

Ao longo dos anos escutei as mais diferentes versões sobre essa questão de meu sobrenome escolhido. A versão mais boba, que ofende a inteligência, me atribui uma intenção anti-imperialista. A versão mais cômica supõe fins de conspiração ou contrabando. E a versão mais fodida me converte na ovelha vermelha da família: inventa para mim um pai inimigo e oligárquico, no lugar do pai real que tenho, que é um sujeito bacana que sempre ganhou a vida com o trabalho ou com a boa sorte que tem na loteria.

O pintor japonês Hokusai mudou de nome sessenta vezes para celebrar seus sessenta nascimentos. No Uruguai, país formal, teria sido enjaulado como louco ou perverso simulador de identidades.

A máquina de retroceder

Nos princípios do século 20, o Uruguai era um país do século 21. No final do século 20, o Uruguai é um país do século 19.

No reino da chatice, os bons modos proíbem tudo aquilo que não é imposto pela rotina. Os homens sonham com aposentar-se e as mulheres com casar-se. Os jovens, culpados do delito de ser jovens, sofrem a pena da solidão ou do desterro, a menos que possam provar que são velhos.

A pálida

No café da manhã, minhas certezas servem-se de dúvidas. E têm dias em que me sinto estrangeiro em Montevidéu e em qualquer outra parte. Nesses dias, dias sem sol, noites sem lua, nenhum lugar é o meu lugar e não consigo me reconhecer em nada, em ninguém. As palavras não se parecem àquilo que dão nome, e não se parecem nem mesmo ao seu próprio som. Então não estou onde estou. Deixo meu corpo e saio, para longe, para lugar nenhum, e não quero estar com ninguém, nem mesmo comigo, e não tenho, nem quero ter, nome algum: então perco a vontade de me chamar ou de ser chamado.

O baixo-astral

Enquanto dura o baixo-astral, perco tudo. As coisas caem dos meus bolsos e da minha memória: perco chaves, canetas, dinheiro, documentos, nomes, caras, palavras. Eu não sei se será mau-olhado. Pura casualidade, mas às vezes a depressão demora em ir embora e eu ando de perda em perda, perco o que encontro, não encontro o que busco, e sinto medo de que numa dessas distrações acabe deixando a vida cair.

Onetti

Eu não tinha nem vinte anos e ainda brincava de cabra-cega nas noites do mundo.
Queria pintar, e não podia. Queria escrever, e não sabia. Às vezes escrevia um conto, e às vezes levava esse conto para Juan Carlos Onetti.

Ele estava sempre de cama, de preguiça, de tristeza, rodeado por pirâmides de tocos de cigarros, atrás de uma muralha de garrafas vazias. Eu me sentia na obrigação de emitir frases inteligentíssimas. Mestre Onetti olhava o teto e não abria a boca a não ser para bocejar, fumar e beber, lenta sonolência, tragadas lentas, goles demorados, e talvez murmurasse algum fruto de suas prolongadas meditações sobre a situação nacional e internacional:

– *A merda toda aconteceu* – dizia – *no dia em que os milicos e as mulheres aprenderam a ler.*

Sentado na beira da cama, eu esperava que ele me dissesse que aqueles meus continhos eram sem nenhuma sombra de dúvida geniais, mas ele se calava e na melhor das hipóteses resmungava ou me estimulava assim:

– *Olha aqui, garoto. Se Beethoven tivesse nascido em Tacuarembó, seria no máximo chefe da banda do coreto.*

Arguedas

Eu estava regressando a Montevidéu, depois de uma viagem. Não lembro de onde vinha, mas sim lembro que no avião tinha lido *El zorro de arriba y el zorro de abajo*, o romance final de José María Arguedas. Arguedas tinha começado a escrever esse adeus à vida no dia em que decidiu se matar, e o romance era seu longo e desesperado testamento. Eu li o livro e acreditei no livro, a partir da primeira página: embora não conhecesse aquele homem, acreditei nele como se fosse meu sempre amigo.

Em *El zorro*, Arguedas tinha dedicado a Onetti o mais alto elogio que um escritor pode oferecer a outro escritor: tinha escrito que estava em Santiago do Chile, mas que na realidade queria estar em Montevidéu, *para encontrar Onetti e apertar a mão com a qual escreve*.

Na casa de Onetti, comentei com ele. Onetti não sabia. O romance, recém-publicado, ainda não tinha chegado a Montevidéu. Comentei com ele, e Onetti ficou calado. Fazia pouco tempo, muito pouco, que Arguedas tinha arrebentado a cabeça com um tiro.

Ficamos os dois muito tempo, minutos ou anos, em silêncio. Depois eu disse algo, perguntei algo, e Onetti não respondeu. Então ergui os olhos e vi aquele talho de umidade que atravessava a sua cara.

Celebração do silêncio/1

Fazia anos que eu não encontrava Fernando Rodríguez. O vento do exílio, que tanto separa, nos juntou. Encontrei-o como sempre, desmantelado e resmungão:

– *Você está igualzinho* – eu disse.

Ele me disse que ainda tinha alguns anos, não muitos:

– *Não se deve passar dos setenta, porque senão você se vicia e não quer mais morrer.*

Naquela tarde nos deixamos caminhar, sem rumo, entre o mar e as vias do trem, lá em Callella da Costa. Íamos lentos, calando juntos, e perto da estação paramos para tomar um café. Então Fernando comentou alguma coisa sobre o poço onde os militares mantinham Raul Sendic, o Tupamaro preso, e juntos nos lembramos de Raul e de sua maneira de ser. Fernando me perguntou:

– *Você leu o que os jornais publicaram, quando ele foi preso?*

Os jornais tinham informado que ele tinha saído de seu esconderijo com uma pistola na mão, abrindo fogo e gritando: "Sou Rufo e não me entrego!".

– *Sim* – eu disse. – *Li.*

– *Ah. E acreditou?*

– *Não.*

– *Eu também não* – disse Fernando. – *Esse, quando cai liquidado, cai calado.*

Celebração do silêncio/2

O cantor Braulio López, que é a metade do duo Los Olimareños, chegou a Barcelona, chegou ao exílio. Vinha com uma mão quebrada.

Braulio tinha estado preso, no cárcere de Villa Devoto, na Argentina, por andar com três livros: uma biografia de José Artigas, uns poemas de Antonio Machado e *O pequeno príncipe*, de Saint-Exupéry. Quando estavam a ponto de libertá-lo, um guarda tinha entrado em sua cela e perguntado:

– *Você é o violeiro?*

E tinha pisado em sua mão esquerda com a bota.

Ofereci a ele: vamos fazer uma entrevista. Essa história podia interessar à revista *Triunfo*, de Madri. Mas Braulio coçou a cabeça, pensou um pouco e me disse:

– *Não.*

E me explicou:

– *Essa história da mão se resolve, cedo ou tarde ela fica boa. E então vou voltar a tocar e a cantar. Você entende? Eu não quero desconfiar dos aplausos.*

Celebração da voz humana/4

Manfred Max-Neef, que morou no Uruguai há mais de vinte anos, comentou comigo o que ele mais lembrava: que os cães latiam sentados e as pessoas tinham a palavra.

Depois, a ditadura militar restabeleceu a ordem, obrigando os uruguaios a mentir ou calar. Eu não sei se os cães latiam em pé; mas ter a palavra era não ter nada.

O sistema/2

Tempo dos camaleões: ninguém ensinou tanto à humanidade quanto estes humildes animaizinhos.
Considera-se culto quem oculta, rende-se culto à cultura do disfarce. Fala-se a dupla linguagem dos artistas da dissimulação. Dupla linguagem, dupla contabilidade, dupla moral: uma moral para dizer, outra moral para fazer. A moral para fazer se chama realismo.

A lei da realidade é a lei do poder. Para que a realidade não seja irreal, dizem os que mandam, a moral deve ser imoral.

Celebração das bodas entre a palavra e o ato

Leio um artigo de um escritor de teatro, Arkadi Rajkin, publicado numa revista de Moscou. O poder burocrático, diz o autor, faz com que os atos, as palavras e os pensamentos jamais se encontrem: os atos ficam no local de trabalho, as palavras nas reuniões e os pensamentos no travesseiro.

Boa parte da força de Che Guevara, penso, essa misteriosa energia que vai muito além de sua morte e de seus equívocos, vem de um fato muito simples: ele foi um raro exemplo dos que dizem o que pensam e fazem o que dizem.

O sistema/3

Quem não banca o vivo, acaba morto. Você é obrigado a ser fodedor ou fodido, mentidor ou mentido. Tempos de o que me importa, de o que se há de fazer, do é melhor não se meter, do salve-se quem puder. Tempo dos trapaceiros: a produção não rende, a criação não serve, o trabalho não vale.

No rio da Prata, chamamos o coração de *bobo*. E não porque se apaixona: o chamamos de *bobo* porque trabalha muito.

Elogio à iniciativa privada

Jesus te vê. Onde quer que vá, seus olhos o seguem. A tecnologia moderna ajuda o filho de Deus a cumprir suas funções de vigilância universal. Três capas de plástico polarizado, que bloqueiam sucessivamente a passagem da luz, facilitam essa tarefa.

Lá por 1961 ou 1962, uma destas imagens de olhos escorregadios chamou a atenção de um jornalista. Julio Tacovilla ia caminhando por uma rua qualquer de Buenos Aires, quando se sentiu observado. De uma vitrine, Jesus tinha cravado os olhos nele. Retrocedeu e o olhar de Jesus retrocedeu com ele. Deteve-se, e o olhar também se deteve. Avançou, e o olhar avançou.

Este sinal divino mudou a sua vida e arrancou-o da situação de pobre.

Pouco depois, Tacovilla voou para Porto Príncipe, e através da embaixada de seu país no Haiti conseguiu uma audiência com o presidente vitalício Papa Doc Duvalier.

Levava um quadro grande, debaixo do braço:

– *Tenho algo para lhe mostrar, Excelência* – disse.

Era um retrato do ditador. Os olhos se mexiam.

– *Papa Doc te vê* – explicou Tacovilla.

Papa Doc concordou, com a cabeça.

– *Não é ruim* – disse, indo e vindo perante sua própria imagem. – *Quantos você pode fazer?*

– *Quanto o senhor pode pagar?*

– *Pago o que custar.*

E assim o Haiti encheu-se de olhares vigilantes e o inquieto jornalista se encheu de dinheiro.

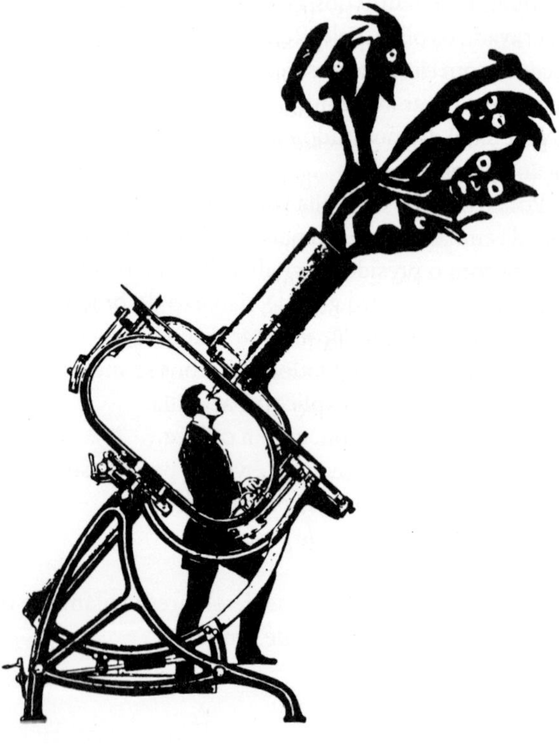

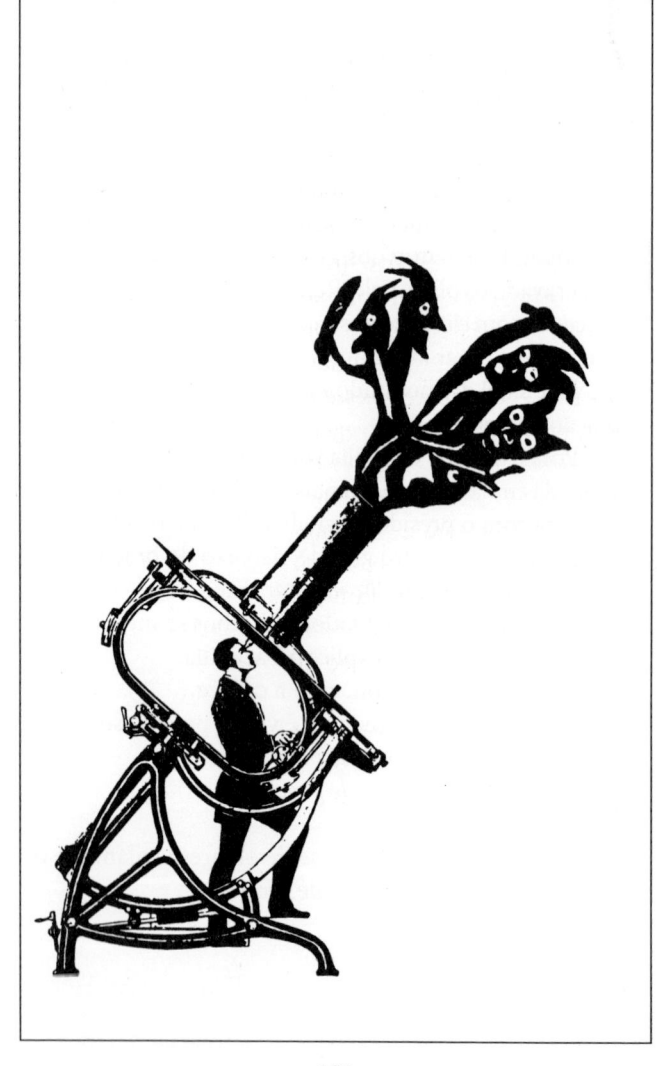

O crime perfeito

Em Londres, é assim: os aquecedores devolvem calor a troco das moedas que recebem. Em pleno inverno, alguns exilados latino-americanos tiritavam de frio, sem nenhuma moeda para fazer funcionar a calefação de seu quarto.

Estavam com os olhos grudados no aquecedor, sem piscar. Pareciam devotos perante o totem, em atitude de adoração; mas eram uns pobres náufragos meditando sobre a maneira de acabar com o Império Britânico. Se pusessem moedas de lata ou papelão, o aquecedor funcionaria, mas o arrecadador encontraria as provas da infâmia.

O que fazer?, se perguntavam os exilados. O frio os fazia tremer como se estivessem com malária. E nisso, um deles lançou um grito selvagem, que sacudiu os alicerces da civilização ocidental. E assim nasceu a moeda de gelo, inventada por um pobre homem gelado.

Imediatamente, puseram mãos à obra. Fizeram moldes de cera, que reproduziam perfeitamente as moedas britânicas; depois encheram os moldes de água e os meteram no congelador.

As moedas de gelo não deixavam pistas, porque o calor as evaporava.

E assim aquele apartamento de Londres converteu-se numa praia do mar Caribe.

O exílio

A ditadura militar me negava passaporte, como a muitos milhares de uruguaios, e eu estava condenado a fazer filas perpétuas no Departamento de Estrangeiros da polícia de Barcelona.

Profissão? *Escritor*, escrevi, *de formulários*.

Certo dia eu não aguentava mais. Estava farto de filas de horas na rua, e farto dos burocratas cujas caras não conseguia nem mesmo ver:

– *Estes formulários estão errados.*
– *Mas me deram aqui.*
– *Quando?*
– *Semana passada.*
– *É que agora temos formulários novos.*
– *Pode me dar esses formulários novos?*
– *Não tenho.*
– *E onde é que tem?*
– *Não sei. O próximo.*

E depois faltavam as estampilhas, e nenhuma papelaria vendia essas estampilhas que faltavam, e eu tinha levado duas fotos e eram três, e as máquinas de fotografia instantâneas não funcionavam sem moedas de vinte e cinco e naquele dia não se conseguia nenhuma moeda de vinte e cinco pesetas em toda Barcelona.

Anoitecia quando finalmente subi no trem, para voltar à minha casa em Calella da Costa. Eu estava arrebentado. Mal me sentei, e dormi.

Fui acordado por uma batidinha no ombro. Abri os olhos e vi um tipo esfarrapado, vestido com um pijama rasgado:

– *Passaporte!...*

O louco tinha cortado em pedaços uma folha imunda de jornal, e ia distribuindo os pedacinhos, de vagão em vagão, entre os passageiros do trem:

– *Passaporte! Passaporte!*

A civilização do consumo

À s vezes, no final da temporada de verão, quando os turistas iam embora de Calella, ouviam-se uivos vindos do morro. Eram os clamores dos cachorros amarrados nas árvores.

Os turistas usavam os cachorros, para alívio da solidão, enquanto as férias duravam, e depois, na hora de partir, os cachorros eram amarrados morro acima, para que não seguissem os turistas que partiam.

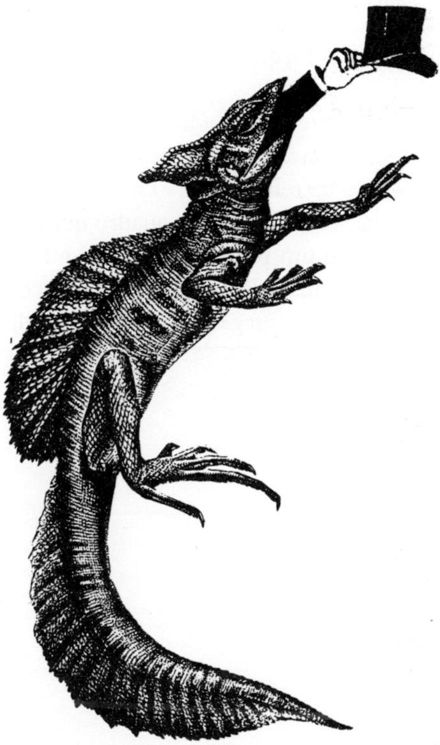

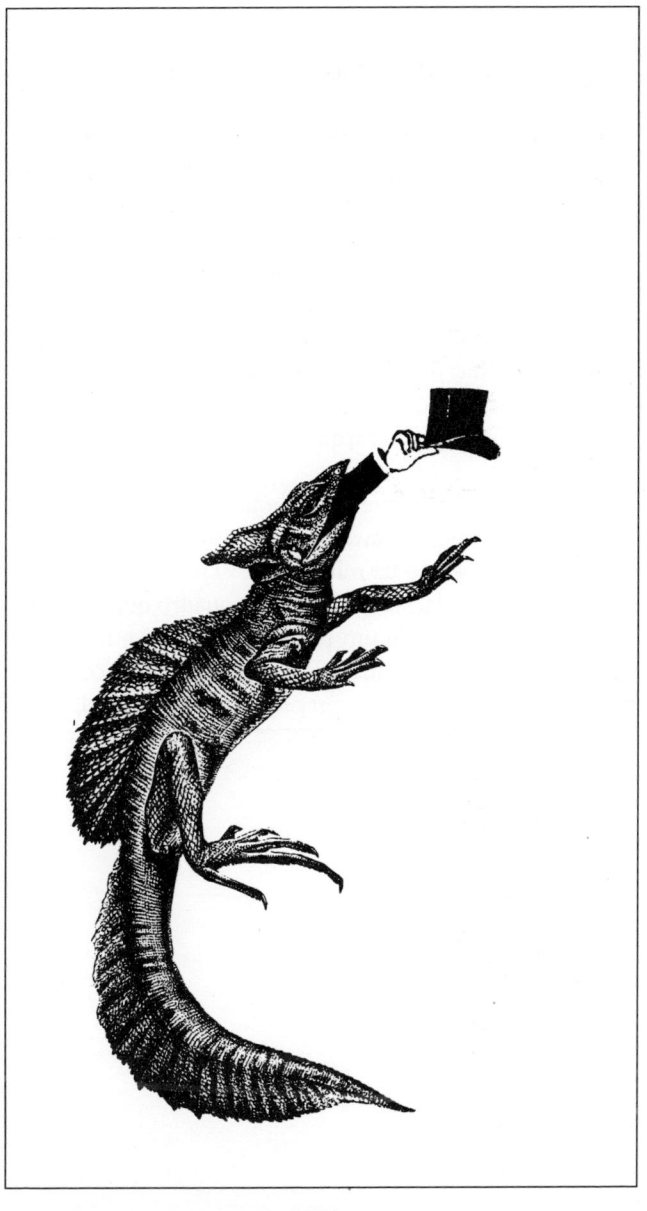

Crônica da cidade de Buenos Aires

Em meados de 1984, viajei para o Rio da Prata. Fazia onze anos que não via Montevidéu; fazia oito que não via Buenos Aires. Tinha ido embora de Montevidéu porque não gostava de ser preso; e de Buenos Aires, porque não gosto de ser morto. Mas em 1984, a ditadura militar tinha acabado, deixando atrás um rastro de sangue e lodo que ninguém apagaria, e a ditadura militar uruguaia estava acabando.

Eu acabava de chegar a Buenos Aires. Não tinha avisado os amigos. Queria que os encontros acontecessem por acaso.

Um jornalista da televisão holandesa, que me acompanhava na viagem, estava me entrevistando na frente da porta que tinha sido da minha casa. O jornalista me perguntou o que tinha sido feito de um quadro que eu tinha em casa, a pintura de um porto para chegar e não para partir, um porto que dizia alô e não adeus, e eu comecei a responder com o olhar pregado no olho vermelho da câmera. Disse que não sabia onde esse quadro tinha ido parar, nem onde tinha ido parar o seu autor, Emilio Casablanca: o quadro e Emilio tinham-se perdido na névoa, como tantas outras pessoas e coisas engolidas por aqueles anos de terror e distância.

Enquanto eu falava, percebi que uma sombra vinha caminhando por trás da câmera e tinha ficado de lado, esperando. Quando terminei e o olho vermelho da câmera se apagou, movi a cabeça e vi: naquela cidade de treze milhões de habitantes, Emilio tinha chegado naquela esquina, por acaso, ou como quer que se chame isso, e estava naquele exato lugar no exato instante. Nos abraçamos dançando, e depois de muito abraço Emilio me contou que há duas semanas sonhava que eu voltava, noite após noite, e agora não podia acreditar.

E não acreditou. Naquela mesma noite telefonou para o meu hotel e perguntou se eu não era sonho ou bebedeira.

O bem-querer/1

Em Buenos Aires procurei a cafeteria que era a minha cafeteria, e não a encontrei. Procurei o restaurante onde comia mocotó em enormes travessas a qualquer hora do dia ou da noite, e ele tampouco existia. Onde antes havia a minha cantina preferida, o Bachín, havia um montão de escombros. Tinham arrasado o Bachín, e com ele o mercado onde eu ia sempre comprar frutas e flores ou pelo puro prazer do nariz e dos olhos. Alguém me disse que o Bachín tinha se mudado, e que agora tinha outro lugar e outro nome.

Uma noite, fui. Parei na frente da porta deste novo Bachín que tinha outro nome, duvidando, sim, não, perguntando-me se não seria uma traição, quando uma súbita explosão ocorreu no momento exato em que eu abria a porta: foram-se os fusíveis da eletricidade e tudo ficou absolutamente mergulhado na escuridão. Dei meia-volta e me afastei, caminhando na ponta dos pés.

E assim fiquei um tempo, doendo esquecimentos, buscando lugares e pessoas que não encontrei, ou que não soube encontrar; e finalmente cruzei o rio, rio-mar, e entrei no Uruguai.

Os generais uruguaios ainda tinham o poder, estavam quase indo embora, quase nos adeuses dos tempos do terror: entrei cruzando os dedos. Tive sorte.

E caminhando pelas ruas da cidade onde nasci, fui reconhecendo-a, e senti que voltava sem ter ido embora: Montevidéu, que dorme sua eterna sesta sobre as suaves colinas do litoral, indiferente ao vento que a golpeia e a chama: Montevidéu, chata e íntima, profundamente íntima, que no verão cheira a pão e no inverno cheira à fumaça. E soube que eu andava querendo bem-querer, e que tinha chegado a hora do fim do exílio. Depois de muito mar, o salmão nada em busca do rio, e o encontra e remonta, guiado pelo cheiro das águas, até o arroio de sua origem.

Então, quando voltei a Calella para dizer-lhe adeus, adeus à Espanha, adeus e obrigado, tive um infarto.

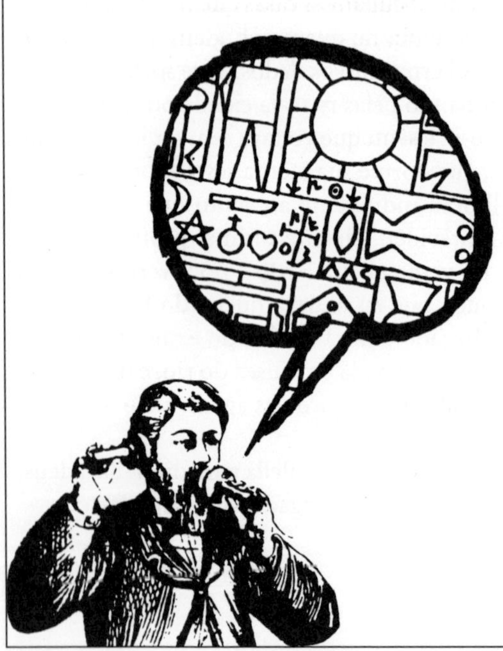

O bem-querer/2

Quando a seca chega e leva embora as águas do rio Uruguai, as pessoas de Pueblo Federación regressam à sua perdida querência. As águas, ao ir embora, deixam nua uma paisagem de lua; e as pessoas voltam.

Elas vivem agora numa aldeia que também se chama Pueblo Federación, como se chamava a sua velha aldeia antes que a represa de Salto Grande a inundasse e a deixasse debaixo das águas. Da velha aldeia já não se vê nem mesmo a cruz no alto da torre da igreja; e a aldeia nova é muito mais cômoda e muito mais linda. Mas eles voltam à aldeia velha que a seca lhes devolve enquanto dura.

Eles voltam e ocupam as casas que foram suas casas e que agora são ruínas de guerra. Ali, onde a avó morreu e onde aconteceram o primeiro gol e o primeiro beijo, eles fazem fogo para o chimarrão e para o churrasco, enquanto os cães cavam a terra em busca dos ossos que tinham escondido.

O tempo

Numa dessas noites – me conta Alejandra Adoum – a mãe de Alina estava se preparando para sair. Alina a olhava, enquanto a mãe, sentada na frente do espelho, pintava os lábios, as sobrancelhas e passava pó de arroz no rosto. Depois a mãe experimentou um vestido, e outro, e pôs um colar de coral negro, e uma tiara nos cabelos, e irradiava uma luz limpa e perfumada. Alina não desgrudava os olhos.

– *Como eu gostaria de ter a tua idade* – disse Alina.

– *Eu, em compensação...* – sorriu a mãe – *daria qualquer coisa para ter quatro anos, como você.*

Naquela noite, ao regressar, a mãe encontrou-a acordada. Alina abraçou suas pernas com força.

– *Morro de pena de você, mamãe* – disse, soluçando.

Ressurreições/1

Infarto agudo de miocárdio, garra da morte no centro do peito. Passei duas semanas mergulhado em uma cama de hospital, em Barcelona. Então sacrifiquei minha desmantelada agenda Porky 2, pois a coitada não aguentava mais, e a mudança de caderneta de endereços transformou-se numa visita aos anos transcorridos desde o sacrifício da Porky 1. Enquanto passava a limpo nomes e endereços e telefones para a agenda nova, eu ia passando a limpo também o entrevero dos tempos e das gentes que acabava de viver, um turbilhão de alegrias e feridas, todas muito, sempre muito, e esse foi um longo duelo entre os mortos que mortos ficaram na zona morta do meu coração, e uma enorme, muito mais enorme celebração dos vivos que acendiam meu sangue e aumentavam meu coração sobrevivido. E não tinha nada de mais, nada de mal, que meu coração tivesse se quebrado, de tão usado.

A casa

1984 tinha sido um ano de merda. Antes do infarto, tinham me operado as costas; e Helena tinha perdido um bebê no meio do caminho. Quando Helena perdeu o bebê, a roseira da varanda secou. As outras plantas também morreram, todas, uma atrás da outra, apesar de serem regadas a cada dia.

A casa parecia maldita. E no entanto, Nani e Alfredo Ahuerma tinham passado por lá alguns dias, e ao ir embora tinham escrito no espelho:

Nesta casa fomos felizes.

E também nós tínhamos encontrado alegria naquela casa de repente amaldiçoada pelos ventos ruins, e a alegria tinha sabido ser mais poderosa que a dúvida e melhor que a memória, e por isso mesmo aquela casa entristecida, aquela casa barata e feia, num bairro barato e feio, era sagrada.

A perda

Helena sonhou que estava na infância, e não via nada. Apalpando na escuridão, ela pedia ajuda, pedia luz aos gritos, mas ninguém acendia as luzes. Naquele negror não podia encontrar as suas coisas, que estavam esparramadas pela casa inteira e por toda a cidade, e ela buscava o que era dela às cegas, na cerração, e também buscava algodão ou trapos ou qualquer coisa, porque estava perdendo sangue, rios de sangue, entre as pernas, muito sangue, cada vez mais sangue, e embora não visse nada, sentia aquele rio vermelho e espesso que se soltava de seu corpo e se perdia nas trevas.

O exorcismo

Rosario, a feiticeira andaluza, estava há muitos anos lutando contra os demônios. O pior dos satanazes tinha sido seu sogro. Aquele malvado tinha morrido estendido na cama, na noite em que exclamou: *Me cago en Diós*!, e o crucifixo de bronze soltou-se da parede e quebrou-lhe o crânio.

Rosario se ofereceu para desendemoniar-nos. Jogou no lixo a nossa bela máscara mexicana de Lúcifer e esparramou uma fumaçarada de arruda, manjerona e louro bendito. Depois pregou na porta uma ferradura com as pontas para fora, pendurou alguns alhos e derramou, aqui e acolá, punhadinhos de sal e montões de fé.

– *Ao mau tempo, cara boa, e para a fome, viola* – disse.

E disse que dali para a frente era conosco, porque a sorte não ajuda quem não a ajuda a ajudar.

Os adeuses

Estávamos há nove anos no litoral da Catalunha e estávamos indo embora, faltavam três ou quatro dias para o fim do exílio, quando a praia amanheceu toda coberta de neve. O sol acendia a neve e erguia, na beira do mar, um grande fogo branco que fazia os olhos chorar.

Era muito raro que nevasse na praia. Eu nunca tinha visto, e só os velhos da aldeia recordavam algo parecido, em tempos remotos.

O mar parecia muito contente, lambendo aquele enorme sorvete, e essa alegria do mar e essa brancura radiante foram minhas últimas imagens de Calella da Costa.

Eu quis responder a despedida tão bela, mas não me ocorreu nada. Nada a fazer, nada a dizer. Nunca fui bom para essa questão dos adeuses.

Os sonhos do fim do exílio/1

Helena sonhou que queria fechar a mala e não conseguia, e fazia força com as duas mãos, e apoiava os joelhos sobre a mala, e sentava em cima, e ficava em pé em cima da mala, e não adiantava. A mala, que não se deixava fechar, transbordava coisas e mistérios.

Os sonhos do fim do exílio/2

Helena voltava para Buenos Aires, mas não sabia em que idioma falar nem com que dinheiro pagar. Parada na esquina da avenida Pueyrredón com a avenida Las Heras, esperava que o *60* passasse, mas o ônibus não vinha, não viria nunca.

Os sonhos do fim do exílio/3

As lentes dos óculos tinham se quebrado, e as chaves tinham se perdido. Ela buscava as chaves pela cidade inteira, às cegas, de joelhos, e quando finalmente as encontrava, as chaves diziam que não serviriam para abrir suas portas.

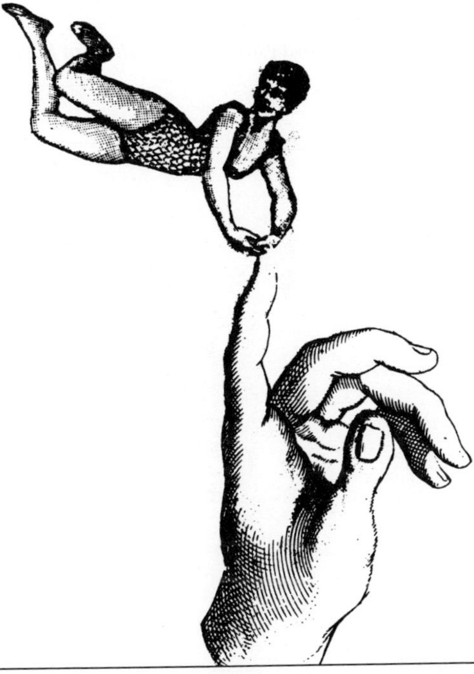

Andanças/1

Alberto, o pai de Helena, acordou de repente. Sua barriga partia-se de dor. Era meia-noite, e ele não tinha comido nada pesado. Enquanto isso, longe dali, Helena estava parindo Mariana, a Pulguinha.

Anos depois, Helena ficou subitamente com a boca seca e os lábios em chaga enquanto seu pai sofria uma febre que por pouco não o matou, e ela dizia palavras do delírio dele, embora ela estivesse em Montevidéu e ele em Buenos Aires, e ela nada soubesse; e ao mesmo tempo, do outro lado do mar, em sua casa nos arrabaldes de Barcelona, Pilar, a amiga de Helena, despertava atordoada por uma inexplicável dor de cabeça e dizia, sem saber por quê, mas sem nenhuma dúvida:

– Alguma coisa está acontecendo com Helena. Alguma coisa.

Andanças/2

Não foi um vento errante, desses que vagabundeiam de déu em déu, mas uma senhora ventania certamente disparada lá do distante litoral quente até a cidade de Medellín, através das montanhas e dos países. O vento chegou até a casa de Jenny e atravessou-a de ponta a ponta: de repente abriu-se a porta da frente, como se tivesse sido chutada por algum bêbado, e em seguida abriu-se a porta dos fundos, da mesma e violenta maneira.

Jenny, então, soube. Restabelecida a calma, até o ar duvidava, o ar machucado; mas ela sabia. E a lavadeira, que morava longe, na cidadezinha de La Pintada, também sabia: estava enxaguando roupa com água da chuva, naquela mesma meia-noite, quando sentiu que havia alguém às suas costas:

– *Eu a vi, menina. Posso jurar.*

A notícia chegou a Medellín por telegrama, na manhãzinha seguinte, mas já não era necessária: à meia-noite de ontem, morreu Paula López, mãe de Jenny, muito amiga da lavadeira, na distante cidade de Guayaquil.

A última cerveja de Caldwell

Era no entardecer de um domingo de abril. Depois de uma semana de muito trabalho, eu estava bebendo cerveja numa taverna de Amsterdam. Estava com Annelies, que tinha me ajudado com santa paciência em minhas voltas e reviravoltas pela Holanda.

Eu me sentia bem mas, sem saber por quê, meio triste.

E comecei a falar dos livros de Erskine Caldwell.

Começou com uma piada boba. Como minhas incessantes viagens ao banheiro entre cerveja e cerveja me davam vergonha, resolvi dizer que o caminho da cerveja conduz ao banheiro da mesma forma que o caminho do tabaco leva ao cinzeiro, e me senti muito arguto. Mas Annelies, que não tinha lido *O caminho do tabaco*, nem sorriu. Então expliquei a piada, que é a pior coisa que se pode fazer em qualquer circunstância, e foi assim que comecei a falar de Caldwell e de seus espantalhos do sul dos Estados Unidos; e não consegui mais parar.

Fazia mais de vinte anos que eu não falava dele. Eu não falava de Caldwell desde os tempos em que me encontrava com Horacio Petit, nas cafeterias e nos botequins de Montevidéu, e com ele andava vinhos e livros.

Agora, enquanto falava, enquanto aquela torrente incessante brotava de minha boca, eu via Caldwell, via Caldwell debaixo de seu esfiapado chapéu de palha, numa cadeira de balanço na varanda, feliz por causa dos ataques das ligas de moral e bons costumes e dos críticos literários, mascando fumo e ruminando novas porcarias e desventuras para os seus personagens miseráveis.

E a tarde se fez noite. Não sei quanto tempo passei falando de Caldwell e tomando cerveja.

Na manhã seguinte, li a notícia nos jornais: *O romancista Erskine Caldwell morreu ontem, em sua casa no sul dos Estados Unidos.*

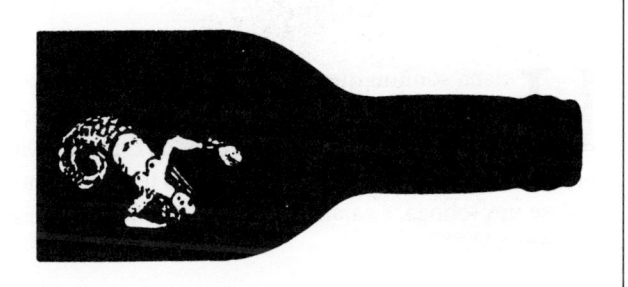

Andanças/3

Helena sonhou que telefonava para Pilar e Antonio, e eram tantas as vontades de dar um abraço nos dois que conseguia trazê-los da Espanha pelo aparelho. Pilar e Antonio deslizavam pelo telefone como se fosse um tobogã, e caíam, suavemente, em nossa casa de Montevidéu.

Dizem as paredes/4

Em pleno centro de Medellín:
A letra com sangue entra.
Embaixo, assinando:
Carrasco alfabetizador.
Na cidade uruguaia de Melo:
Ajude a polícia: torture-se.
Num muro de Masatepe, na Nicarágua, pouco depois da queda do ditador Somoza:
Vão morrer de saudades, mas não voltarão.

Invejas do alto céu

Os maias creem que no começo da história, quando os deuses nos deram nascimento, nós, os humanos, éramos capazes de ver além do horizonte. Então estávamos recém-fundados, e os deuses atiraram pó em nossos olhos para que não fôssemos tão poderosos.

Eu pensei nessa inveja dos deuses, quando soube que meu amigo René Zavaleta tinha morrido. René, que tinha uma inteligência deslumbrante, foi fulminado por um câncer no cérebro.

De câncer na garganta tinha morrido, meio século antes, Enrico Caruso.

Notícias

Os macacos confundem Gato Félix com Tarzã, Popeye devora suas latas infalíveis, Berta Singerman geme versos no Teatro Solís, a grande tesoura de Geniol corta os resfriados, de um momento a outro Mussolini vai invadir a Etiópia, a frota britânica concentra-se no canal de Suez.

Página após página, dia após dia, o ano de 1935 vai desfilando frente aos olhos de Pepe Barrientos, na Biblioteca Nacional. Pepe está buscando sei lá qual dado na coleção do jornal *Uruguay*, a estreia de um tango ou o batizado de uma rua ou coisa parecida, e o tempo inteiro sente que esta não é a primeira vez, sente que já viu o que está vendo agora, que já passou por aqui, passou antes por aqui, por estas páginas, o cine Ariel estreia um filme de Ginger Rogers, no Artigas a pequena Shirley Temple dança e canta, uma flanela molhada em Untisal cura a dor de garganta, um navio arde em chamas a cento e cinquenta milhas destas costas de Montevidéu, uma bailarina de reputação duvidosa amanhece assassinada, Mussolini pronuncia seu ultimato. *Guerra! Vem aí a guerra!*, clama uma enorme manchete. Sim, Pepe já viu. Sim, sim: esta foto, o goleiro feito pomba voadora atravessando a página, o chute de Cea dobrando as mãos do goleiro, essas letras:

talvez na infância, pensa. Surpreende-se de tão longa a viagem da memória: em 1935, há mais de meio século, ele tinha seis anos. E então, de repente, é tocado pelo medo, as unhas geladas do medo roçam sua nuca, e ele tem certeza de que deve ir embora, e tem certeza de que vai ficar.

E assim continua. Poderia mudar de jornal, ou de ano, ou simplesmente poderia caminhar até a porta de saída, mas continua. Pepe continua, chamado, não pode ir embora, não pode parar, e o Peñarol ganha e sua grande figura é Gestido, e foi firmada a paz entre o Paraguai e a Bolívia mas o problema dos prisioneiros ainda não foi resolvido, e uma tormenta afunda barcos no canal da Mancha, e foi preso o assassino da bailarina, que era o seu amante e que levava oito centavos no bolso no momento de sua detenção, e o remédio Himrod é garantido contra a asma, e de repente a mão de Pepe, que acaba de virar a página, fica paralisada, e uma foto golpeia sua cara: uma foto aberta em seis colunas, o caminhão tombado e arrebentado, a imensa foto do caminhão, e ao redor do caminhão um enxame de curiosos vendo o fotógrafo, olhando para Pepe que olha os curiosos, que não os vê: Pepe com os olhos cegos de lágrimas vendo a foto do caminhão onde seu pai morreu esmagado numa trombada espetacular que comove o bairro La Teja, em Montevidéu, ao meio-dia do dia 18 de setembro de 1935.

A morte

Nem dez pessoas iam aos últimos recitais do poeta espanhol Blas de Otero. Mas quando Blas de Otero morreu, muitos milhares de pessoas foram à homenagem fúnebre feita numa arena de touros em Madrid. Ele não ficou sabendo.

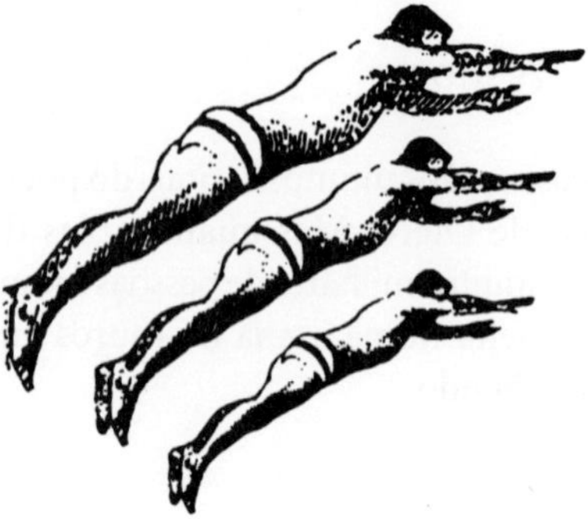

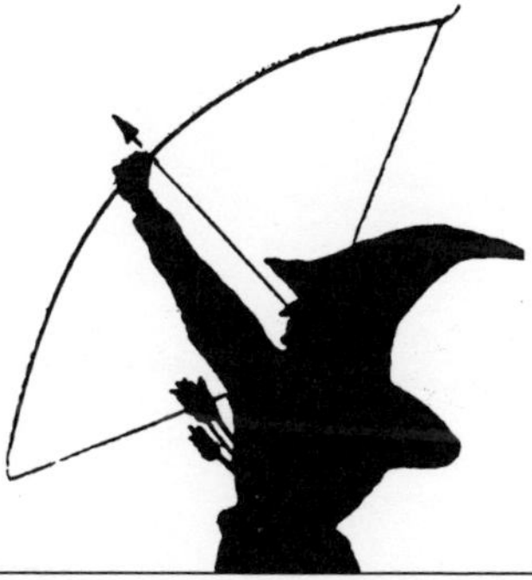

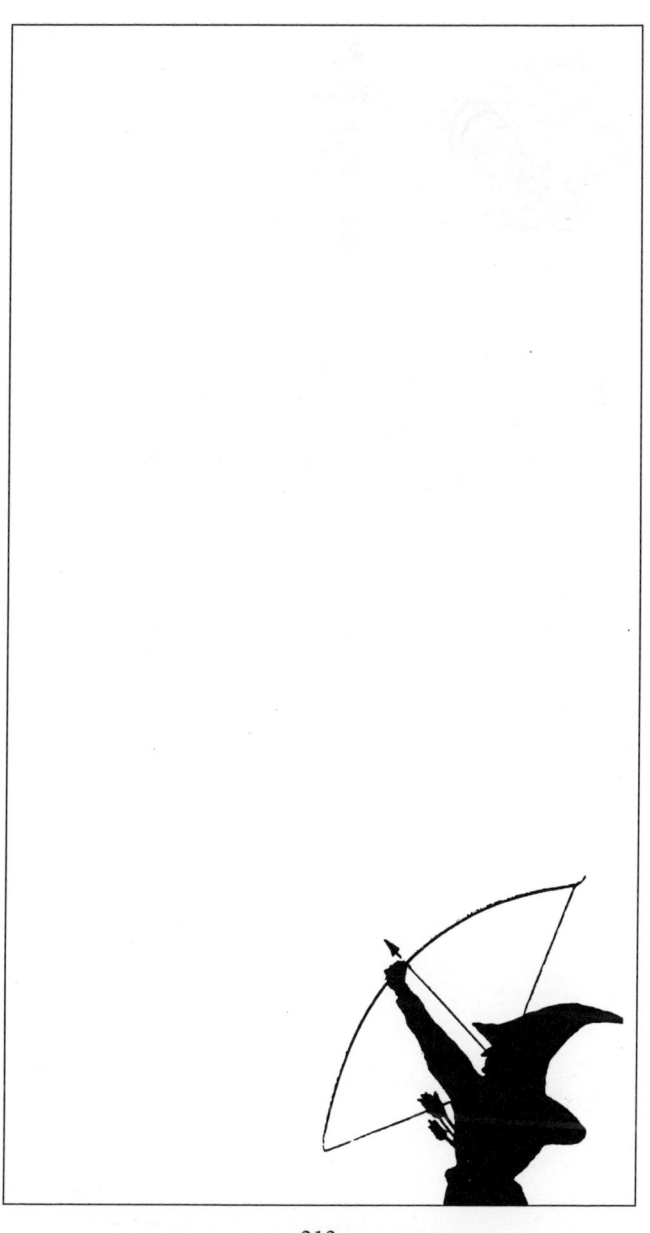

Chorar

Foi na selva, na Amazônia equatoriana. Os índios shuar estavam chorando a avó moribunda. Choravam sentados, na margem de sua agonia. Uma pessoa, vinda de outros mundos, perguntou:

– *Por que choram na frente dela, se ela ainda está viva?*

E os que choravam responderam:

– *Para que ela saiba que gostamos muito dela.*

Celebração do riso

José Luis Castro, o carpinteiro do bairro, tem a mão muito boa. A madeira, que sabe que ele a ama, deixa-se fazer.

O pai de José Luis tinha vindo lá de uma aldeia de Pontevedra para o Rio da Prata. O filho recorda o pai, o rosto aceso debaixo do chapéu-panamá, a gravata de seda no colarinho do pijama azul-celeste, e sempre, sempre contando histórias desopilantes. Onde ele estava, lembra o filho, o riso acontecia. De todas as partes vinha gente para rir, quando ele contava, e a multidão se amontoava. Nos velórios era preciso levantar o ataúde, para que todos coubessem – e assim o morto ficava em pé para escutar com o devido respeito aquelas coisas todas, ditas com tanta graça.

E de tudo o que José Luis aprendeu de seu pai, isso foi o principal:

– *O importante é rir* – ensinou-lhe o velho. – *E rir juntos.*

Dizem as paredes/5

Na faculdade de Ciências Econômicas, em Montevidéu:
A droga provoca amnésia e outras coisas que esqueci.

Em Santiago do Chile, nas margens do rio Mapocho:
Bem-aventurados os bêbados, porque eles verão Deus duas vezes.

Em Buenos Aires, no bairro de Flores:
Uma namorada sem tetas é, mais que namorada, um amigo.

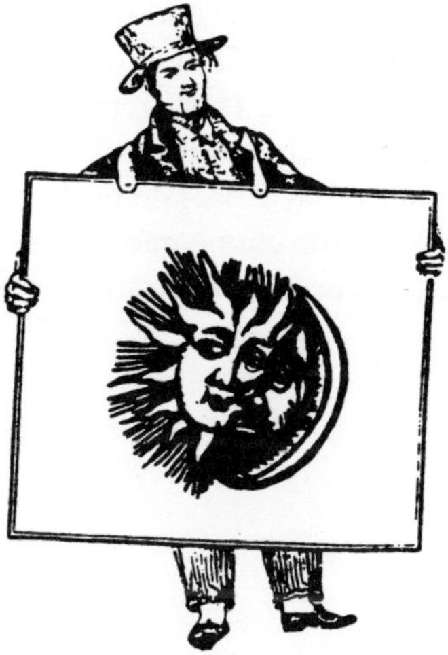

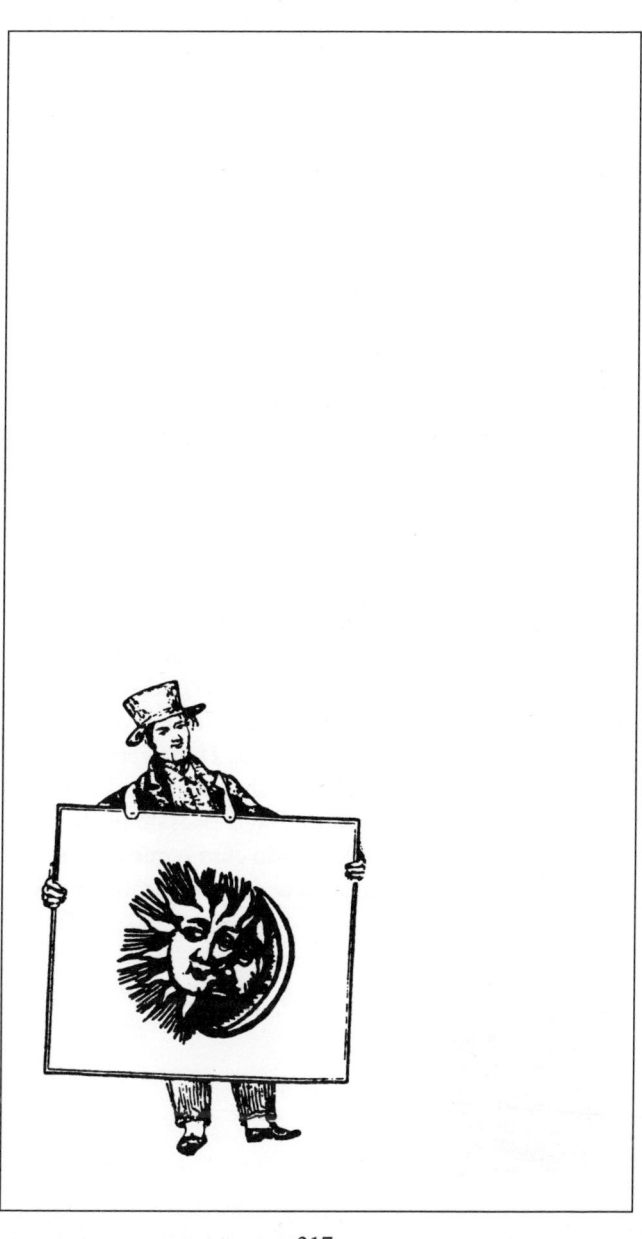

O vendedor de risadas

Estou na praia de Malibu, no espigão onde há meio século o detetive Philip Marlowe encontrou um de seus cadáveres.

Jack Miles me mostra uma casa linda, lá longe, lá no alto: ali morou o homem que abastecia Hollywood de risadas. Há dez anos, Jack passou uma temporada naquela casa, quando o abastecedor de risadas decidiu ir embora para sempre.

A casa estava toda atapetada de risadas. Aquele homem tinha passado a vida recolhendo risadas. Gravador em punho, tinha percorrido os Estados Unidos de cabo a rabo, de alto a baixo, buscando risos, e tinha conseguido reunir a maior coleção do mundo. Tinha registrado a alegria das crianças brincando e o alvorocinho assim meio gasto de quem já viveu muito. Havia risos do norte e do sul, do leste e do oeste. De acordo com o que pedissem, ele podia proporcionar risadas de celebração ou risos de dor ou de pânico, risadas apaixonadas, escalafriantes gargalhadas de espectros e risos de loucos e bêbados e criminosos. Entre suas milhares e milhares de gravações, tinha risos para acreditar e risos para desconfiar, risadas de negros, de mulatos e de brancos, risadas de pobres e de ricos e de remediados.

Vendendo risos, risos para cinema, rádio e televisão, tinha ficado rico. Mas era um homem até que melancólico, e tinha uma mulher que só com uma olhada matava qualquer vontade de rir.

Ela e ele foram embora de sua casa da praia de Malibu, e nunca mais voltaram. Foram embora fugindo dos mexicanos, porque na Califórnia existem cada vez mais mexicanos que comem comida apimentada e têm o maldito costume de rir às gargalhadas. Agora eles dois vivem na ilha de Tasmânia, que fica lá pelos lados da Austrália, só que mais longe.

Eu, mutilado capilar

Os barbeiros me humilham cobrando meia tarifa. Faz uns vinte anos que o espelho delatou os primeiros clarões debaixo da melena frondosa. Hoje o luminoso reflexo de minha calva em vitrines e janelas e janelinhas me provoca estremecimentos de horror.

Cada fio de cabelo que perco, cada um dos últimos cabelos, é um companheiro que tomba, e que antes de tombar teve nome ou pelo menos número.

A frase de um amigo piedoso me consola:

– *Se o cabelo fosse importante, estaria dentro da cabeça, e não fora.*

Também me consolo comprovando que em todos esses anos caíram muitos de meus cabelos mas nenhuma de minhas ideias, o que acaba sendo uma alegria quando a gente pensa em todos esses arrependidos que andam por aí.

Celebração do nascer incessante

Miguel Mármol serviu outra rodada de rum Matusalém e disse que estava comemorando, bebemorando, cinquenta e cinco anos de seu fuzilamento. Em 1932, um pelotão de soldados tinha acabado com ele, cumprindo ordens do ditador Martínez.

– *De idade, tenho oitenta e dois* – disse Miguelito –, *mas nem percebo. Tenho muitas namoradas. O médico receitou.*

Contou-me que tinha o costume de acordar antes do amanhecer, e que assim que abria os olhos começava a cantar, a dançar e a sapatear, e que os vizinhos do andar de baixo não gostavam nada daquilo.

Eu tinha ido levar para ele o tomo final de *Memória do Fogo*. A história de Miguelito funciona como eixo desse livro: a história de suas onze mortes e suas onze ressurreições, tudo isso ao longo de sua vida brigona. Desde que nasceu pela primeira vez em Ilopango, em El Salvador, Miguelito é a mais certeira metáfora da América Latina. Como ele, a América Latina morreu e nasceu muitas vezes. Como ele, continua nascendo.

– *Mas disso* – afirmou – é *melhor não falar. Os católicos me dizem que tudo isso aconteceu por obra da Providência. E os comunistas, meus camaradas, dizem que foi tudo obra da coincidência.*

Propus fundarmos juntos o marxismo mágico: metade razão, metade paixão, e uma terceira metade de mistério.

– *A ideia é boa* – me disse ele.

O parto

Três dias de parto e o filho não saía:
– *Tá preso. O negrinho tá preso* – disse o homem.
Ele vinha de um rancho perdido nos campos.

E o médico foi até lá.

Maleta na mão, debaixo do sol do meio-dia, o médico andou até aquela longidão, aquela solidão, onde tudo parece coisa do destino feroz; e chegou e viu.

Depois, contou para Glória Galván:

– *A mulher estava nas últimas, mas ainda arfava e suava e estava com os olhos muito abertos. Eu não tinha experiência nessas coisas. Eu tremia, estava sem nenhuma ideia. E nisso, quando levantei a coberta, vi um braço pequeninho aparecendo entre as pernas abertas da mulher.*

O médico percebeu que o homem tinha estado puxando. O bracinho estava esfolado e sem vida, um penduricalho sujo de sangue seco, e o médico pensou: *Não se pode fazer mais nada.*

E mesmo assim, sabe-se lá por quê, acariciou o bracinho. Roçou com o dedo aquela coisa inerte e ao chegar à mãozinha, de repente a mãozinha se fechou e apertou seu dedo com força.

Então o médico pediu que alguém fervesse água, e arregaçou as mangas da camisa.

Ressurreições/2

Eram os tempos da ditadura militar no Brasil.
Os generais deixaram-no entrar para que morresse em sua própria terra. Darcy Ribeiro chegou do exílio e uma ambulância, que o esperava ao pé do avião, levou-o diretamente ao hospital.

Darcy sabia que estava com câncer, e que o câncer tinha devorado pelo menos um de seus pulmões, mas estava alegre de alegria por estar na sua terra e sentir que ela estava tão sempre viva e dançadoura.

O irmão de Darcy chegou da cidade de Montes Claros. Vinha para se despedir. Sentado ao lado de Darcy no hospital, olhava os próprios pés. Estava choroso e sombrio e Darcy tratava de levantar-lhe o ânimo. O cirurgião tomou Darcy pelo braço e levou-o para caminhar pelo corredor:

– *Não quero desanimá-lo* – disse –, *mas acho que o senhor deve preparar-se para o pior. Se o seu irmão sair vivo, será um milagre.*

Darcy não pôde conter o riso, e o médico não entendeu.

No dia seguinte, foi operado. Darcy despertou com um pulmão a menos. Como tem tantos, nem percebeu.

Ressurreições/3

Estive em Saint-Pierre, nos restos de Saint-Pierre. Tinha sido a cidade mais bela do mar Caribe, até que um vulcão carbonizou seus trinta mil habitantes.

Trágica profecia de um mundo pelo avesso: os que estavam a salvo foram condenados, e o condenado foi o único que se salvou. Ludger Sylbaris, preso por vadiagem, emergiu com vida, muito queimado mas com vida, três dias depois da catástrofe: só as grossas paredes do cárcere conseguiram resistir à tromba ardente do vulcão.

– Ei-lo aqui! O verdadeiro, o autêntico! O que escapou do inferno! Um milagre de Deus! Olhem bem para ele, senhoras e senhores! E que as pessoas sensíveis tapem os olhos!

Sylbaris passou a ser a grande atração do circo Barnum em suas andanças pelo mundo. Ele tinha mais êxito que a mulher barbada e o menino de duas cabeças. Abria os braços e girava lentamente sobre si mesmo, mostrando seu corpo em chaga viva, e o público estremecia de horror e de prazer.

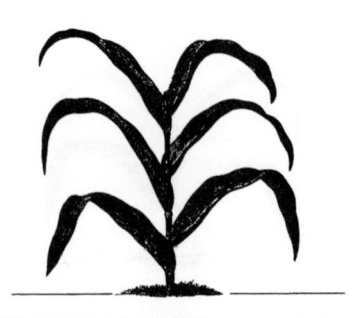

Os três irmãos

Na Nicarágua, nos anos da guerra contra Somoza, Sofía Montenegro dormia mal.

Seus irmãos eram tema dos pesadelos mais frequentes. Ela sonhava com uma emboscada e uma chuva de balas, em pesadelos que ocorriam em paisagens de lugar nenhum ou lá pela subidinha que vai a Tiscapa. Depois da última rajada, um irmão de Sofía, tenente-coronel da ditadura, arrancava os lenços que cobriam as caras de suas vítimas; e entre os mortos estava o outro irmão.

Junto a este irmão, o que morria no sonho, militava Sofía na Frente Sandinista. O irmão inimigo, tenente-coronel, tinha bombardeado a cidade de Estelí e tinha torturado prisioneiros. Mas nos sonhos de Sofía, os dois irmãos, o militar e o guerrilheiro, tinham seus olhos: os dois eram iguais a ela, os dois eram ela.

As duas cabeças

Pode ser que Omar Cabezas tenha esse nome porque está usando sua segunda cabeça. E talvez por isso tenha chegado até o fim no áspero caminho da revolução da Nicarágua; e por isso chegou vivo.

Omar era criança e estava brincando de guerra de pedradas, na cidade de León. Choviam pedras, entre uma e outra esquina de uma rua qualquer, quando Omar viu vir um tremendo pedregulho que seu inimigo tinha atirado, viu clarinha a trajetória da pedra no ar, e correu: ele queria correr para o outro lado, escapar, salvar-se, mas não pôde evitar que sua cabeça se lançasse ao encontro daquele projétil que estava destinado a ele, e sua cabeça chegou ao lugar exato e no momento exato para ser golpeada e quebrada pela pedra que caía.

Assim foi que Omar perdeu aquela sua cabeça que buscava a perdição. Desde então, usa a outra, um pouco menos louca.

Ressurreições/4

Peca quem mente, diz Ernesto Cardenal, porque rouba a verdade das palavras.

Lá por volta de 1524, Frei Bobadilla fez uma grande fogueira na aldeia de Manágua e atirou nas chamas os livros indígenas. Aqueles livros eram feitos em pele de veado, em imagens pintadas com duas cores: o vermelho e o negro.

Havia séculos que estavam mentindo para a Nicarágua, até que o general Sandino escolheu essas duas cores para sua bandeira sem saber que eram as cores das cinzas da memória nacional.

A acrobata

Luz Marina Acosta era menininha quando descobriu o circo Firuliche.

O circo Firuliche emergiu certa noite, mágico barco de luzes, das profundidades do Lago da Nicarágua. Eram clarins guerreiros as cornetas de papelão dos palhaços e bandeiras altas os farrapos que ondulavam anunciando a maior festa do mundo. A lona estava toda cheia de remendos, e também os leões, aposentados leões; mas a lona era um castelo, e os leões, os reis da selva. E uma senhora rechonchuda, brilhante de lantejoulas, era a rainha dos céus, balançando nos trapézios a um metro do chão.

Então, Luz Marina decidiu tornar-se acrobata. E saltou de verdade, lá do alto, e em sua primeira acrobacia, aos seis anos de idade, quebrou as costelas.

E assim foi, depois, a vida. Na guerra, longa guerra contra a ditadura de Somoza, e nos amores: sempre voando, sempre quebrando as costelas.

Porque quem entra no circo Firuliche não sai jamais.

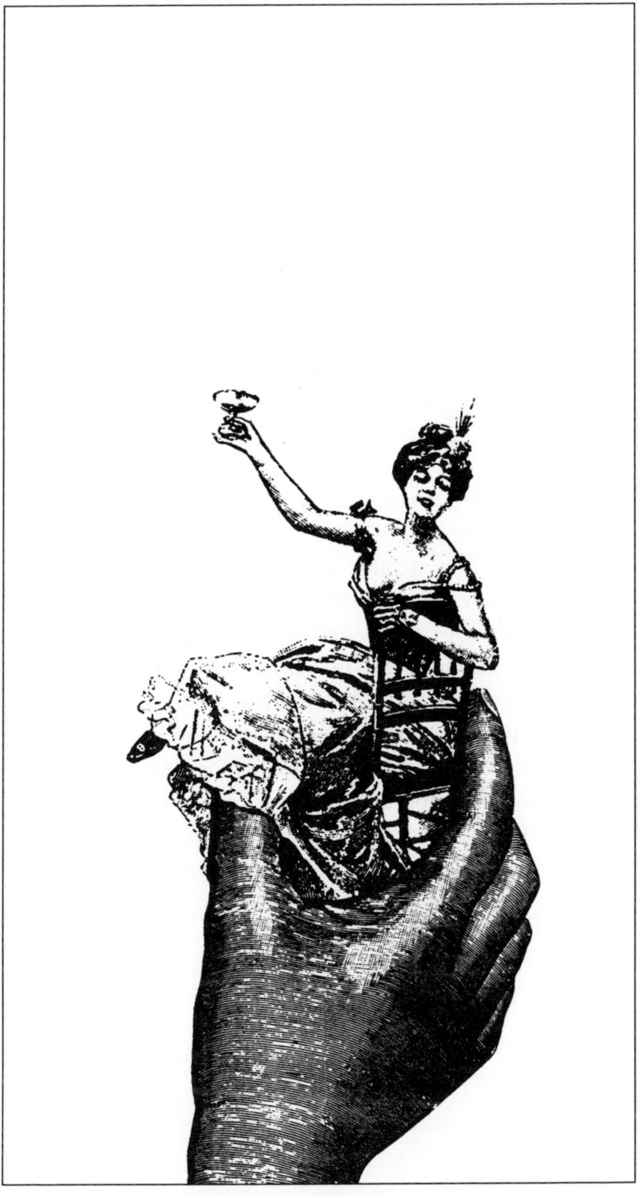

As flores

O escritor brasileiro Nelson Rodrigues estava condenado à solidão. Tinha cara de sapo e língua de serpente, e a seu prestígio de feio e sua fama de venenoso somava-se a notoriedade de seu contagioso azar: as pessoas ao seu redor morriam de tiro, miséria ou infelicidade fatal.

Certo dia, Nelson conheceu Eleonora. Naquele dia, dia do descobrimento, quando pela primeira vez viu aquela mulher, uma violenta alegria atropelou-o e deixou-o abobado. Então, quis dizer alguma de suas frases brilhantes, mas as pernas bambearam e a língua se enrolou e não conseguiu outra coisa a não ser gaguejar ruidinhos.

Bombardeou-a de flores. Mandava flores para o apartamento dela, no alto de um edifício do Rio de Janeiro. A cada dia mandava um grande ramo de flores, flores sempre diferentes, sem repetir jamais as cores ou aromas, e ficava esperando lá embaixo: lá de baixo via a varanda de Eleonora, e da varanda ela atirava as flores na rua, todos os dias, e os automóveis as esmagavam.

E foi assim durante cinquenta dias. Até que um dia, um meio-dia, as flores que Nelson enviou não caíram na rua e não foram pisadas pelos automóveis.

Naquele meio-dia, ele subiu até o último andar, apertou a campainha e a porta se abriu.

As formigas

Tracey Hill era menina num povoado de Connecticut, e se divertia com diversões próprias de sua idade, como qualquer outro doce anjinho de Deus no estado de Connecticut ou em qualquer outro lugar deste planeta.

Um dia, junto a seus companheirinhos de escola, Tracey se pôs a atirar fósforos acesos num formigueiro. Todos desfrutaram muito daquele sadio entretenimento infantil; Tracey, porém, ficou impressionada com uma coisa que os outros não viram, ou fizeram como se não vissem, mas que a deixou paralisada e deixou nela, para sempre, um sinal na memória: frente ao fogo, frente ao perigo, as formigas separavam-se em casais, e assim, de duas em duas, bem juntinhas, esperavam a morte.

A avó

A avó de Bertha Jensen morreu amaldiçoando.
Ela tinha vivido a vida inteira na ponta dos pés, como se pedisse perdão por incomodar, consagrada ao serviço do marido e à sua prole de cinco filhos, esposa exemplar, mãe abnegada, silencioso exemplo de virtude: jamais uma queixa saíra de seus lábios, e muito menos um palavrão.

Quando a doença derrubou-a, chamou o marido, sentou-o na frente da cama, e começou. Ninguém suspeitava que ela conhecesse aquele vocabulário de marinheiro bêbado. A agonia foi longa. Durante mais de um mês, a avó, da cama, vomitou um incessante jorro de insultos e blasfêmias baixíssimas. Até a sua voz mudou. Ela, que nunca tinha fumado nem bebido outra coisa além de água ou leite, xingava com vozinha rouca. E assim, xingando, morreu; e foi um alívio geral na família e na vizinhança.

Morreu onde havia nascido, na aldeia de Dragor, na frente do mar, na Dinamarca. Chamava-se Inge. Tinha uma linda cara de cigana. Gostava de vestir-se de vermelho e de navegar ao sol.

O avô

Um homem chamado Amando, nascido numa aldeia que se chama Salitre, no litoral do Equador, me deu de presente a história de seu avô.

Os tataranetos se revezavam no plantão. Na porta, tinham posto corrente e cadeado. Dom Segundo Hidalgo dizia que por isso padecia os ataques:

– *Tenho reumatismo de gato castrado* – queixava-se.

Aos cem anos completos, Dom Segundo aproveitava qualquer descuido, montava em pelo e escapava para buscar namoradas por aí. Ninguém entendia tanto de mulheres e de cavalos. Ele tinha povoado esta aldeia de Salitre, e a comarca, e a região, desde que foi pai pela primeira vez, aos treze anos.

O avô confessava trezentas mulheres, embora todo mundo soubesse que eram mais de quatrocentas. Mas uma, uma que se chamava Blanquita, tinha sido a mais mulher de todas. Fazia trinta anos que Blanquita tinha morrido, e ele ainda a convocava na hora do crepúsculo. Amando, o neto, o que me deu esta história de presente, escondia-se e espiava a cerimônia secreta. Na varanda, iluminado pela última luz, o avô abria uma caixinha de pó de arroz de outros tempos, uma caixa redonda, daquelas com anjinhos rosados na tampa, e levava o algodão ao nariz:

– *Acho que te conheço* – murmurava, aspirando o leve perfume daquele pó de arroz. – *Acho que te conheço*.

E balançava-se muito suavemente, murmurando na cadeira de balanço.

No pôr do sol de cada dia, o avô prestava sua homenagem à mais amada. E uma vez por semana, a traía. Era infiel com uma gorda que cozinhava receitas complicadíssimas na televisão. O avô, dono do primeiro e único televisor na aldeia de Salitre, não perdia nunca esse programa. Tomava banho e fazia a barba e vestia-se de branco, vestia-se como para uma festa, o melhor chapéu, as botinas de verniz, o colete de botões dourados, a gravata de seda, e sentava-se grudado na tela. Enquanto a gorda batia seus cremes e erguia a colher, explicando os segredos de algum sabor único, exclusivo, incomparável, o avô piscava o olho e atirava beijos furtivos. A caderneta de poupança aparecia no bolso do paletó. O avô punha a caderneta assim, insinuada, como que por distração, para que a gorda visse que ele não era um pé-rapado qualquer.

Fuga

Dia desses, Maité Piñero, recém-chegada de El Salvador, trouxe a notícia:
— *Morreu.*

Um avião inimigo foi mais rápido que ele. Quando o ataque terminou, seus companheiros o enterraram. Foi enterrado ao anoitecer. Todos de costas, uns para os outros. Ninguém mostrava a cara.

Fuga tinha chegado três ou quatro anos antes, e tinha chegado para ficar. Chegou ao amanhecer, nos dias da grande chuva, e tinha se plantado no meio do acampamento, debaixo da chuva, e a chuva o metralhava e ele continuava parado.

E continuava ali quando o dilúvio acabou: um burro, ou a estátua de um burro, já muito golpeado e troncho, que com seu único olho olhava de maneira impassível e para sempre. Os guerrilheiros o expulsaram. Ele foi insultado, chutado, empurrado; não adiantou nada.

E assim ficou. Foi chamado de Fuga, porque era o mais veloz na hora de escapar, no escarcéu dos bombardeios. Foi mandado para longe, em difíceis missões de leva e traz, e voltava sempre. Os rapazes se mexiam noite e dia, de um lado para outro, através das montanhas queimadas de San Miguel, e ele os encontrava sempre. E quando o exército os cercava, Fuga dava um jeito para passar, sem dar a menor bola, pelos campos minados, e sem dar a menor bola atravessava as fileiras com seus alforjes carregados de café e *tortillas* e cigarros e balas.

– *Não vá nos trair, Fuga* – pediam a ele.

E ele os olhava, sem pestanejar, com seu único olho.

O burrinho conhecia tudo. Conhecia as bases de operações e os esconderijos de armas e víveres, as trilhas e os atalhos, o cruzamento escolhido para a próxima emboscada; e também conhecia os amigos da guerrilha em cada uma das aldeias. E mais, muito mais, todo o resto Fuga conhecia: ele era dono das confidências. Porque o burrinho sabia escutar as mágoas e as dúvidas e as bandidagens secretas de cada guerrilheiro; e até os machos mais machos, homens de ferro calado, se permitiam chorar com ele.

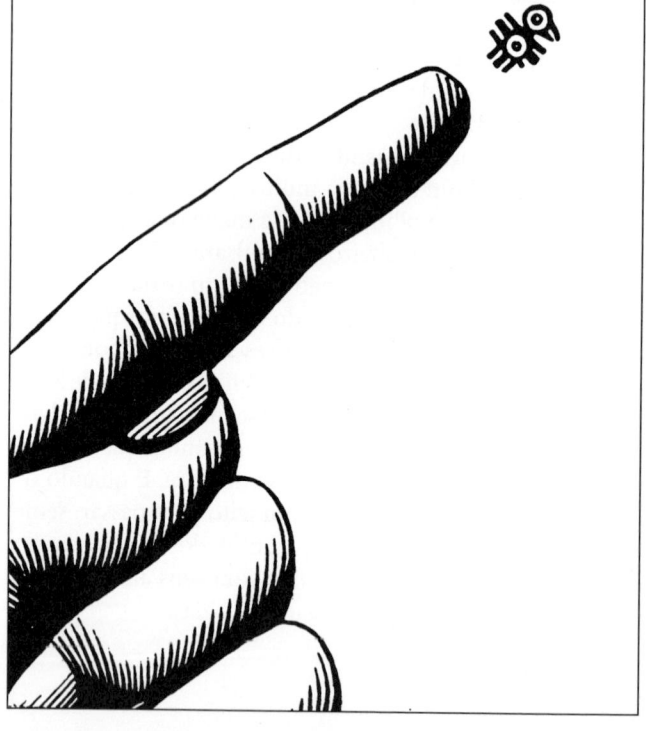

Celebração da amizade/1

Nos subúrbios de Havana, chamam o amigo de *minha terra* ou *meu sangue*.

Em Caracas, o amigo é minha *pada* ou minha *chave*: *pada*, por causa de padaria, a fonte do bom pão para as fomes da alma; e *chave* por causa de...

– *Chave, por causa de chave* – me conta Mario Benedetti.

E me conta que quando morava em Buenos Aires, nos tempos do horror, ele usava cinco chaves alheias em seu chaveiro: cinco chaves, de cinco casas, de cinco amigos: as chaves que o salvaram.

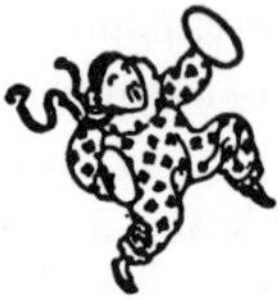

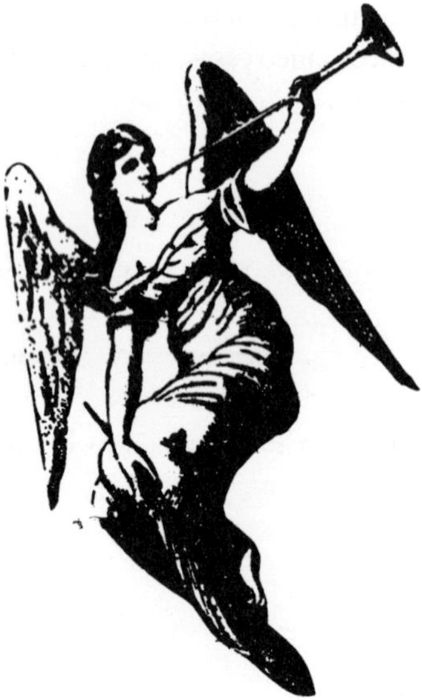

Celebração da amizade/2

Juan Gelman me contou que uma senhora brigou a guarda-chuvadas, numa avenida de Paris, contra uma brigada inteira de funcionários municipais. Os funcionários estavam caçando pombos quando ela emergiu de um incrível Ford bigode, um carro de museu, daqueles que funcionavam à manivela; e brandindo seu guarda-chuva, lançou-se ao ataque.

Agitando os braços abriu caminho, e seu guarda-chuva justiceiro arrebentou as redes onde os pombos tinham sido aprisionados. Então, enquanto os pombos fugiam em alvoroço branco, a senhora avançou a guarda-chuvadas contra os funcionários.

Os funcionários só atinaram em se proteger, como puderam, com os braços, e balbuciavam protestos que ela não ouvia: mais respeito, minha senhora, faça-me o favor, estamos trabalhando, são ordens superiores, senhora, por que não vai bater no prefeito?, senhora, que bicho picou a senhora?, esta mulher endoidou...

Quando a indignada senhora cansou o braço, e apoiou-se numa parede para tomar fôlego, os funcionários exigiram uma explicação.

Depois de um longo silêncio, ela disse:
– *Meu filho morreu.*

Os funcionários disseram que lamentavam muito, mas que eles não tinham culpa. Também disseram que naquela manhã tinham muito o que fazer, a senhora compreende...

– *Meu filho morreu* – repetiu ela.

E os funcionários: sim, claro, mas que eles estavam ganhando a vida, que existem milhões de pombos soltos por Paris, que os pombos são a ruína desta cidade...

– *Cretinos* – fulminou a senhora.

E longe dos funcionários, longe de tudo, disse:

– *Meu filho morreu e se transformou em pombo.*

Os funcionários calaram e ficaram pensando um tempão. Finalmente, apontando os pombos que andavam pelos céus e telhados e calçadas, propuseram:

– *Senhora: por que não leva seu filho embora e deixa a gente trabalhar?*

Ela ajeitou o chapéu preto:

– *Ah!, não! De jeito nenhum!*

Olhou através dos funcionários, como se fossem de vidro, e disse muito serena:

– *Eu não sei qual dos pombos é meu filho. E se soubesse, também não ia levá-lo embora. Que direito tenho eu de separá-lo de seus amigos?*

Gelman

O poeta Juan Gelman escreve erguendo-se sobre suas próprias ruínas, sobre seu pó e seu lixo.

Os militares argentinos, cujas atrocidades humanas teriam provocado em Hitler um irremediável complexo de inferioridade, golpearam-no onde mais dói. Em 1976, sequestraram seus filhos. Os filhos foram levados no lugar de Gelman. A filha, Nora, foi torturada e solta. O filho, Marcelo, e sua companheira, que estava grávida, foram assassinados e desaparecidos.

No lugar dele levaram os filhos porque ele não estava. Como se faz para sobreviver a uma tragédia destas? Digo: para sobreviver sem que a alma se apague. Muitas vezes me perguntei isso, nesses anos todos. Muitas vezes imaginei essa horrível sensação de vida usurpada, esse pesadelo do pai que sente que está roubando do filho o ar que respira, o pai que no meio da noite desperta banhado em suor: *Eu não te matei, eu não te matei*. E me perguntei: se Deus existe, por que fica de fora? Não será Deus ateu?

A arte e o tempo

Quem são os meus contemporâneos? – pergunta-se Juan Gelman.

Juan diz que às vezes encontra homens que têm cheiro de medo, em Buenos Aires, em Paris ou em qualquer lugar, e sente que estes homens não são seus contemporâneos. Mas existe um chinês que há milhares de anos escreveu um poema, sobre um pastor de cabras que está longe, muito longe da mulher amada e mesmo assim pode escutar, no meio da noite, no meio da neve, o rumor do pente em seus cabelos; e lendo esse poema remoto, Juan comprova que sim, que eles sim: que esse poeta, esse pastor e essa mulher são seus contemporâneos.

Profissão de fé

Sim, sim, por mais machucado e fodido que a gente possa estar, sempre é possível encontrar contemporâneos em qualquer lugar do tempo e compatriotas em qualquer lugar do mundo. E sempre que isso acontece, e enquanto isso dura, a gente tem a sorte de sentir que é algo na infinita solidão do universo: alguma coisa a mais que uma ridícula partícula de pó, alguma coisa além de um momentinho fugaz.

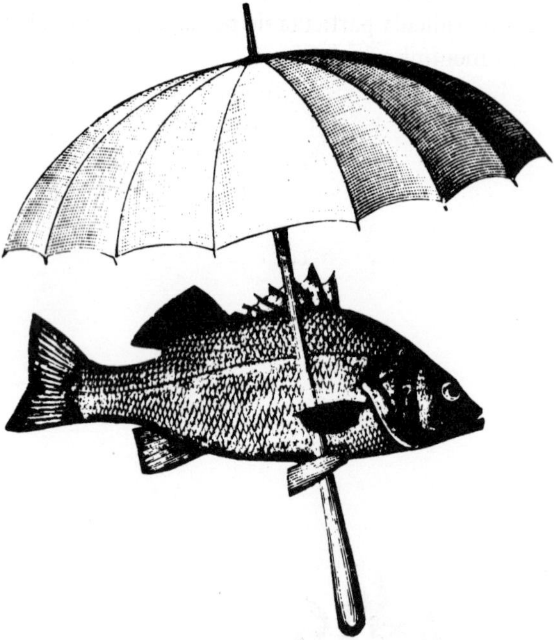

Cortázar

Com um braço abraçara a nós dois. O braço era longuíssimo, como antes, mas o resto tinha se reduzido muito, e por isso Helena o sonhava com desconfiança, entre acreditando e desacreditando. Julio Cortázar explicava que tinha conseguido ressuscitar graças a uma máquina japonesa, que era muito boa mas que ainda estava em fase de experiência, e que por um erro a máquina tinha deixado-o anão.

Julio contava que as emoções dos vivos chegam aos mortos como se fossem cartas, e que ele tinha querido voltar à vida por causa da muita pena que lhe dava a pena que sua morte nos havia causado. Além disso, dizia, estar morto é uma coisa chata. Julio dizia que andava com vontade de escrever um conto sobre o assunto.

Crônica da cidade de Montevidéu

Julio César Puppo, conhecido como Lenhador, e Alfredo Gravina se encontraram ao anoitecer, num café do bairro de Villa Dolores. Assim, por acaso, descobriram que eram vizinhos:

– *Tão pertinho, e sem saber.*

Ofereceram-se uma bebida, e outra.

– *Você está muito bem.*

– *Qual o quê...*

E passaram umas poucas horas e uns muitos copos falando do tempo enlouquecido e de como a vida andava custando os olhos da cara, dos amigos perdidos e dos lugares que já não são, memórias dos anos moços:

– *Você lembra?*

– *E se lembro...*

Quando finalmente o café fechou, Gravina acompanhou o Lenhador até a porta de sua casa. Mas depois o Lenhador quis retribuir:
– *Te acompanho.*
– *Ora, não se incomode.*
– *Mas se é um prazer...*
E nesse vaivém passaram a noite inteira. Às vezes paravam, por causa de alguma recordação súbita ou porque a estabilidade deixava muito a desejar, mas em seguida continuavam na ida e volta de esquina a esquina, da casa de um à casa do outro, de uma porta a outra, como que trazidos e levados por um pêndulo invisível, acarinhando-se sem dizer nada e abraçando-se sem se tocar.

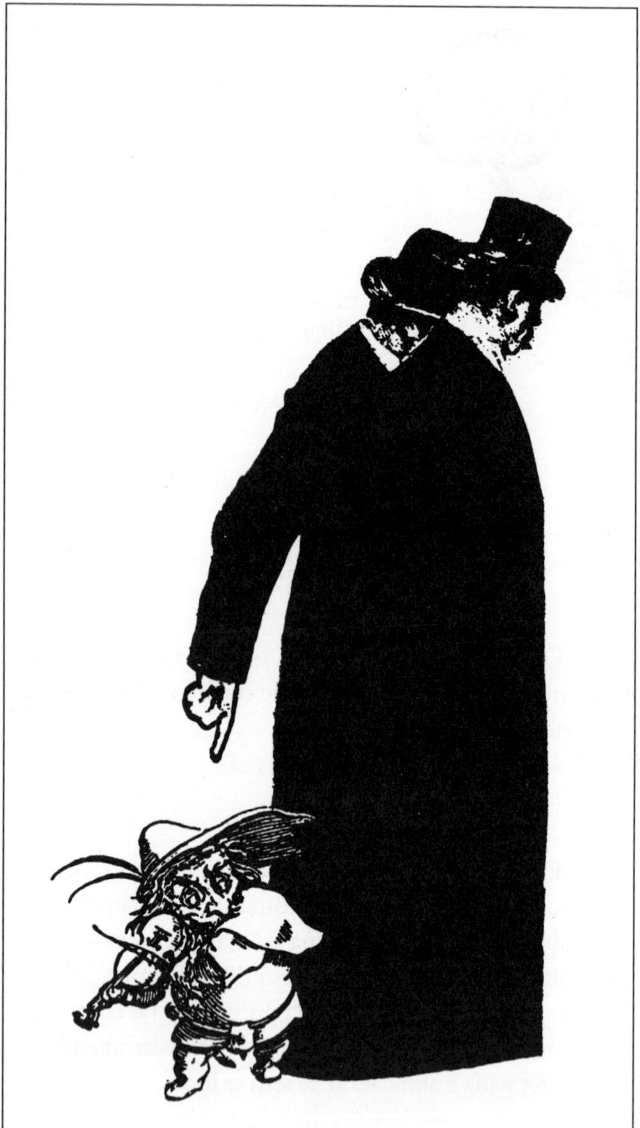

A cerca de arame

À meia-noite da noite mais gelada do ano chegou, súbita, violenta, a ordem de formar fila. Aquela era a noite mais gelada daquele ano e de muitos anos, e uma névoa inimiga mascarava tudo.

Aos gritos, debaixo de golpes das armas, os presos foram postos de cara contra a cerca de arame que rodeava as barracas. Das torres de vigia, os refletores atravessavam a névoa e lentamente percorriam a longa fileira de uniformes cor de cinza, mãos crispadas e cabeças rapadas a zero.

Dar meia-volta era proibido. Os presos escutaram ruídos de botas correndo e os sons metálicos das metralhadoras sendo armadas. Depois, silêncio.

Naqueles dias, tinha corrido na prisão o rumor:
– *Vão matar a gente.*

Mario Dufort era um daqueles presos, e estava suando gelo.

Tinha os braços abertos, como todos, com as mãos agarrando a cerca: como ele estava tremendo, a cerca de arame tremia. Tremo de frio, disse a si mesmo, e repetiu; e não acreditou.

E teve vergonha de seu medo. Sentiu-se incomodado por aquele espetáculo que estava dando na frente dos companheiros. E soltou as mãos.

Mas a cerca de arame continuou tremendo. Sacudida pelas mãos de todos os outros, a cerca de arame continuou tremendo.

E então, Mario compreendeu.

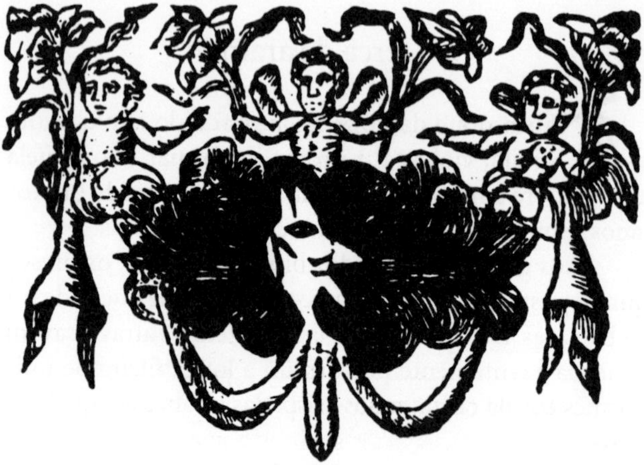

O céu e o inferno

Cheguei a Bluefields, no litoral da Nicarágua, no dia seguinte a um ataque dos *contras*. Havia muitos mortos e feridos. Eu estava no hospital quando um dos sobreviventes do tiroteio, um garoto, despertou da anestesia: despertou sem braços, olhou o médico e pediu:

– *Me mate.*

Fiquei com um nó no estômago.

Naquela noite, noite atroz, o ar fervia de calor. Eu me estendi num terraço, sozinho, olhando o céu. Não longe dali, a música soava forte. Apesar da guerra, apesar de tudo, a cidade de Bluefields estava celebrando a festa tradicional do Palo de Mayo. A multidão dançava, jubilosa, ao redor da árvore cerimonial. Mas eu, estendido no terraço, não queria escutar a música nem queria escutar nada, e estava tentando não sentir, não recordar, não pensar: em nada, em nada de nada. E estava naquilo, espantando sons e tristezas e mosquitos, com os olhos pregados na noite alta, quando um menino de Bluefields, que eu não conhecia, estendeu-se ao meu lado e começou a olhar o céu, como eu, em silêncio.

Então, passou uma estrela cadente. Eu podia ter pedido um desejo; mas não lembrei.

O menino me explicou:

– *Você sabe por que as estrelas caem? A culpa é de Deus. Deus gruda elas mal. Ele gruda as estrelas com cola de arroz.*

Amanheci dançando.

Crônica da cidade de Manágua

O comandante Tomás Borge me convidou para jantar. Eu não o conhecia. Tinha fama de ser o mais duro de todos, o mais temido. Havia mais gente no jantar, gente linda; ele falou pouco ou nada. Ficou me olhando, ficou me medindo.

Na segunda vez, jantamos sozinhos. Tomás estava mais aberto: respondeu muito solto as minhas perguntas sobre os velhos tempos da fundação da Frente Sandinista. E à meia-noite, como quem não quer nada, me disse:

– *Agora, conta um filme para mim.*

Eu me defendi. Expliquei que morava em Calella, uma cidadezinha onde o cinema quase não chegava, só filmes velhos...

– *Conta* – insistiu, ordenou. – *Qualquer filme, qualquer um, mesmo que seja velho.*

Então contei uma comédia. Contei, atuei; tentei resumir, mas ele exigia detalhes. Quando terminei:

– *Agora, outro.*

Contei um de gângster, que acabava mal.

– *Outro.*

Contei um de cowboys.

– *Outro.*

Contei, inventando de cabo a rabo, um de amor.

Acho que estava amanhecendo quando me dei por vencido, supliquei clemência e fui dormir.

Encontrei-o uma semana depois. Tomás pediu desculpas:

– *Espremi você, naquela noite. É que eu gosto muito de cinema, gosto loucamente, e nunca posso ir.*

Disse que qualquer um podia entender. Ele era ministro de Interior da Nicarágua, em plena guerra; o inimigo não dava trégua e não havia tempo para luxos como ir ao cinema.

– *Não, não* – me corrigiu. – *Tempo, tenho. Tempo... a gente sempre consegue, quando quer. Não é uma questão de tempo. Antes, quando eu estava clandestino, disfarçado, dava um jeito para ir ao cinema. Mas agora...*

Não perguntei. Houve um silêncio, ele continuou:

– *Não posso ir ao cinema porque... porque no cinema, eu choro.*

– *Ah!* – disse. – *Eu também.*

– *Claro* – respondeu –. *Percebi na hora. Na primeira vez que vi você, pensei: "Esse é dos que choram no cinema".*

O desafio

Não *conseguiram nos transformar em eles* – escreveu-me Cacho El Kadri.

Eram os últimos tempos das ditaduras militares na Argentina e no Uruguai. Tínhamos comido medo no café da manhã, medo no almoço e no jantar, medo; mas não tinham conseguido nos transformar em eles.

Celebração da coragem/1

Gabriel Caro, colombiano, que lutou na Nicarágua, conta que ao lado dele caiu um suíço, destroçado por uma rajada de metralhadora; e ninguém sabia como era o nome do suíço. Aconteceu na Frente Sul, um par de noites ao norte do rio San Juan, pouco antes da derrota da ditadura de Somoza. Ninguém sabia o seu nome, ninguém sabia nada daquele calado miliciano louro que tinha ido tão longe para morrer na Nicarágua, pela revolução, pela lua. O suíço caiu gritando uma coisa que ninguém entendeu, caiu gritando:

– *Viva Bakunin!*

E enquanto ouço Gabriel contando a história do suíço, minha memória se acende. Há anos, em Montevidéu, Carlos Bonavita me falou de um tio dele, ou tio-avô, que redigia os relatos de batalha nos tempos das guerras gaúchas nas pradarias do Uruguai. Andava aquele tio ou tio-avô contando mortos na beira do rio onde uma batalha, não sei qual, tinha acontecido. Pela cor das fitas que os soldados usavam nos cabelos, reconhecia os grupos. Estava fazendo isso quando viu um cadáver e ficou paralisado. Era um soldado de poucos anos, era um anjo de olhos tristes. Sobre os cabelos negros, vermelhos de sangue, a fita branca dizia: *Pela pátria e por ela*. A bala tinha entrado na palavra *ela*.

Celebração da coragem/2

Perguntei a ele se tinha visto algum fuzilamento. Sim, tinha visto.

Chino Heras tinha visto um coronel ser fuzilado, no final de 1960, no quartel de La Cabaña. A ditadura de Batista tinha muitos carrascos, coisa ruim a serviço da dor e da morte; e aquele coronel era um dos muitos, um dos piores.

Estávamos em meu quarto, numa roda de amigos, em um hotel de Havana. Chino contou que o coronel não tinha querido que vendassem os seus olhos, e sua última vontade não fora um cigarro: o coronel pediu que o deixassem comandar seu próprio fuzilamento.

O coronel gritou: *Preparar!* e gritou: *Apontar!* Quando ia gritar: *Fogo!*, o fuzil de um dos soldados travou. Então o coronel interrompeu a cerimônia.

– *Calma* – disse para a fila dupla de homens que deviam matá-lo. Eles estavam tão próximos que quase podia tocá-los.

– *Calma* – disse. – *Não fiquem nervosos.*

E novamente mandou preparar armas, e mandou apontar, e quando estava tudo em ordem, mandou disparar. E caiu.

Chino contou esta morte do coronel, e ficamos calados. Éramos vários naquele quarto, e todos nos calamos.

Esticada feito uma gata sobre a cama, havia uma moça de vestido vermelho. Não recordo seu nome. Recordo suas pernas. Ela tampouco disse nada.

Passaram-se duas ou três garrafas de rum e no fim todo mundo foi dormir. Ela também. Antes de ir embora, da porta entreaberta, olhou para o Chino, sorriu e agradeceu:

– *Obrigada* – disse. – *Eu não conhecia os detalhes. Obrigada por ter me contado.*

Depois soubemos que o coronel era o pai da moça.

Uma morte digna é sempre uma boa história para se contar, mesmo que seja a morte digna de um filho da puta. Mas eu quis escrevê-la, e não consegui. Passou o tempo e esqueci.

Da moça, nunca mais ouvi falar.

Celebração da coragem/3

Sérgio Vuskovic me conta os últimos dias de José Tohá.
– *Suicidou-se* – disse o general Pinochet.
– *O governo não pode garantir a imortalidade de ninguém* – escreveu um jornalista da imprensa oficial.
– *Estava magro por causa dos nervos* – declarou o general Leigh.

Os generais chilenos odiavam-no. Tohá tinha sido ministro da Defesa no governo Allende, e conhecia os seus segredos.

Estava num campo de concentração, na ilha de Dawson, ao sul do sul.

Os prisioneiros estavam condenados a trabalhos forçados. Debaixo da chuva, metidos no barro ou na neve, os prisioneiros carregavam pedras, erguiam muros, colocavam encanamentos, pregavam postes e estendiam cercas de arame farpado.

Tohá, que tinha um metro e noventa de altura, estava pesando cinquenta quilos. Nos interrogatórios, desmaiava. Era interrogado sentado numa cadeira, com os olhos vendados. Quando despertava, não tinha forças para falar, mas sussurrava:

– *Escute, oficial.*

Sussurrava:

– *Viva os pobres do mundo.*

Estava há algum tempo tombado na barraca, quando um dia levantou-se. Foi o último dia em que se levantou.

Fazia muito frio, como sempre, mas havia sol. Alguém conseguiu café bem quente para ele e o negro

Jorquera assoviou para ele um tango de Gardel, um daqueles velhos tangos dos quais ele tanto gostava.

As pernas tremiam, e a cada passo os joelhos se dobravam, mas Tohá dançou aquele tango. Dançou-o com uma vassoura, magra como ele, ele e a vassoura, ele encostando o cabo da vassoura em sua cara de fidalgo cavalheiro, os olhinhos fechados, até que numa volta caiu ao chão e já não conseguiu mais levantar.

Nunca mais foi visto.

Celebração da coragem/4

A direita mesquinha e a esquerda puritana dedicam boa parte de seus fervores discutindo se Salvador Allende suicidou-se ou não.

Allende tinha anunciado que não sairia vivo do palácio presidencial. Na América Latina, é tradição: todos dizem a mesma coisa. Depois, na hora do golpe de Estado, correm para o primeiro avião.

Tinham-se passado muitas horas de bombas e fogo e Allende continuava combatendo entre os escombros. Então chamou seus colaboradores mais íntimos, que resistiam com ele, e disse:

– *Desçam, que eu já vou.*

Eles acreditaram e foram embora, e Allende ficou sozinho no palácio em chamas.

Que importa de quem foi o dedo que disparou a bala final?

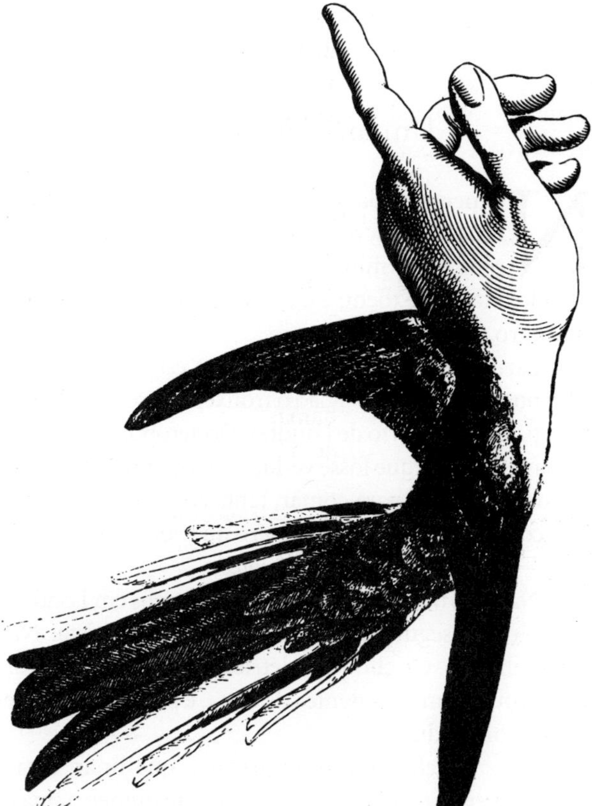

Um músculo secreto

No meio-dia da memória, um meio-dia do exílio. Eu estava escrevendo, ou lendo, ou me aborrecendo em minha casa no litoral de Barcelona, quando o telefone tocou e o telefone me trouxe, cheio de assombro, a voz de Fico.

Fazia mais de dois anos que Fico estava preso. Fora solto no dia anterior. O avião o trouxera da cela de Buenos Aires para o aeroporto de Londres. Do aeroporto ele me telefonava pedindo que fosse vê-lo, venha no primeiro avião, tenho muita coisa para contar, tanta coisa para falar, mas uma coisa eu quero dizer já, quero que você saiba:

– *Não me arrependo de nada.*

Naquela mesma noite nos encontramos em Londres.

No dia seguinte, acompanhei-o ao dentista. Não tinha remédio. Os choques elétricos nas câmaras de tortura afrouxaram seus dentes de cima, e podia dar aqueles dentes por perdidos.

Fico Vogelius era o empresário que financiara a revista *Crisis*, e não havia posto somente dinheiro, mas a alma e a vida naquela aventura, e me dera plena liberdade para fazer a revista do jeito que eu quisesse. Enquanto durou, três anos e pouco, quarenta números, *Crisis* soube ser um teimoso ato de fé na palavra solidária e criativa, aquela que não é nem finge ser neutra, a voz humana que não é eco nem soa só por soar.

Por causa desse delito, pelo imperdoável delito de *Crisis*, a ditadura militar argentina sequestrou Fico, e o encarcerou e o torturou; e ele salvara a vida por um fio, graças ao fato de ter conseguido gritar o próprio nome enquanto era sequestrado.

A revista havia caído sem se curvar, e nós estávamos orgulhosos dela. Fico tinha uma garrafa de sei lá qual vinho francês antigo e bem-amado. Com aquele vinho brindamos, em Londres, à saúde do passado, que continuava sendo um companheiro digno de confiança.

Depois, alguns anos depois, acabou-se a ditadura militar. E em 1985, Fico decidiu que *Crisis* devia ressuscitar. E estava cuidando disso, outra vez disposto a queimar tempo e dinheiro, quando ficou sabendo que tinha um câncer.

Consultou vários médicos, em vários países. Uns lhe davam vida até outubro, outros até novembro. De novembro não passa, sentenciavam todos. Ele estava cadavérico, tremendo de operação a operação; mas um brilho de desafio acendia seus olhos.

Crisis reapareceu em abril de 86. E no dia seguinte ao renascimento de *Crisis*, meio ano depois de todos os prognósticos, Fico deixou-se morrer.

Outro músculo secreto

Nos últimos anos, a Avó estava se dando muito mal com o próprio corpo. Seu corpo, corpo de aranhinha cansada, negava-se a segui-la.
– *Ainda bem que a mente viaja sem passagem* – dizia.
Eu estava longe, no exílio. Em Montevidéu, a Avó sentiu que tinha chegado a hora de morrer. Antes de morrer, quis visitar a minha casa com corpo e tudo.

Chegou de avião, acompanhada pela minha tia Emma. Viajou entre as nuvens, entre as ondas, convencida de que estava indo de barco; e quando o avião atravessou uma tempestade, achou que estava numa carruagem, aos pulos, sobre a estrada de pedras.

Ficou em casa um mês. Comia mingaus de bebê e roubava caramelos. No meio da noite despertava e queria jogar xadrez ou brigava com o meu avô, que tinha morrido há quarenta anos. Às vezes tentava alguma fuga até a praia, mas suas pernas se enroscavam antes que ela chegasse na escada.

No final, disse:

– *Agora, já posso morrer.*

Disse que não ia morrer na Espanha. Queria evitar que eu tivesse a trabalheira burocrática, o transporte do corpo, aquilo tudo: disse que sabia muito bem que eu odiava a burocracia.

E regressou a Montevidéu. Visitou a família toda, casa por casa, parente por parente, para que todos vissem que tinha regressado muito bem e que a viagem não tinha culpa. E então, uma semana depois de ter chegado, deitou-se e morreu.

Os filhos jogaram as suas cinzas debaixo da árvore que ela tinha escolhido.

Às vezes, a Avó vem me ver nos sonhos. Eu caminho na beira de um rio e ela é um peixe que me acompanha deslizando suave, suave, pelas águas.

A festa

Estava suave o sol, o ar limpo e o céu sem nuvens. Afundado na areia, um caldeirão de barro fumegava.

No caminho entre o mar e a boca, os camarões passavam pelas mãos de Zé Fernando, mestre de cerimônias, que os banhava em água-benta de sal e cebolas e alho.

Havia bom vinho. Sentados em roda, amigos compartilhávamos o vinho e os camarões e o mar que se abria, livre e luminoso, aos nossos pés.

Enquanto acontecia, essa alegria estava já sendo recordada pela memória e sonhada pelo sonho. Ela não terminaria nunca, e nós tampouco, porque somos todos mortais até o primeiro beijo e o segundo copo, e qualquer um sabe disso, por menos que saiba.

As impressões digitais

Eu nasci e cresci debaixo das estrelas do Cruzeiro do Sul.
Aonde quer que eu vá, elas me perseguem. Debaixo do Cruzeiro do Sul, cruz de fulgores, vou vivendo as estações de meu destino.

Não tenho nenhum deus. Se tivesse, pediria a ele que não me deixe chegar à morte: ainda não. Falta muito o que andar. Existem luas para as quais ainda não lati e sóis nos quais ainda não me incendiei. Ainda não mergulhei em todos os mares deste mundo, que dizem que são sete, nem em todos os rios do Paraíso, que dizem que são quatro.

Em Montevidéu, existe um menino que explica:

– *Eu não quero morrer nunca, porque quero brincar sempre.*

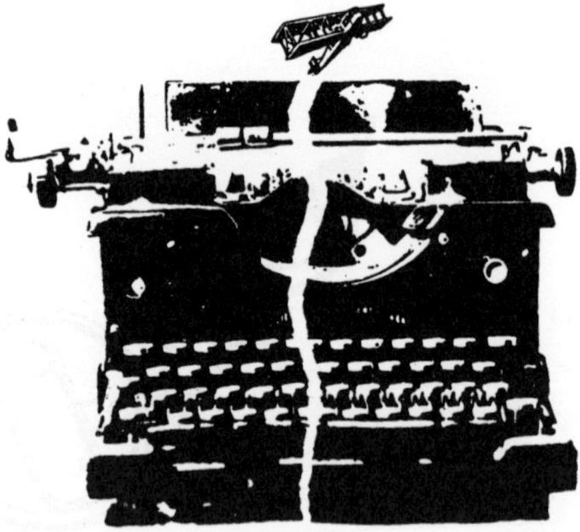

O ar e o vento

Pelos caminhos vou, como o burrinho de São Fernando, um pouquinho a pé e outro pouquinho andando.

Às vezes me reconheço nos demais. Me reconheço nos que ficarão, nos amigos abrigos, loucos lindos de justiça e bichos voadores da beleza e demais vadios e malcuidados que andam por aí e que por aí continuarão, como continuarão as estrelas da noite e as ondas do mar. Então, quando me reconheço neles, eu sou ar aprendendo a saber-me continuado no vento.

Acho que foi Vallejo, César Vallejo, que disse que às vezes o vento muda o ar.

Quando eu já não estiver, o vento estará, continuará estando.

A ventania

Assovia o vento dentro de mim.
Estou despido. Dono de nada, dono de ninguém, nem mesmo dono de minhas certezas, sou minha cara contra o vento, a contravento, e sou o vento que bate em minha cara.

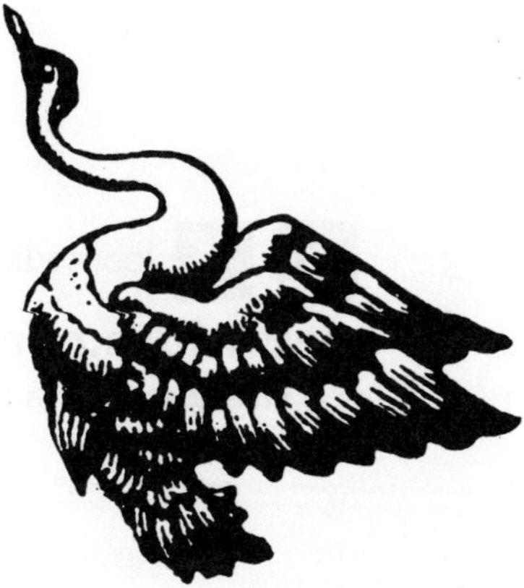

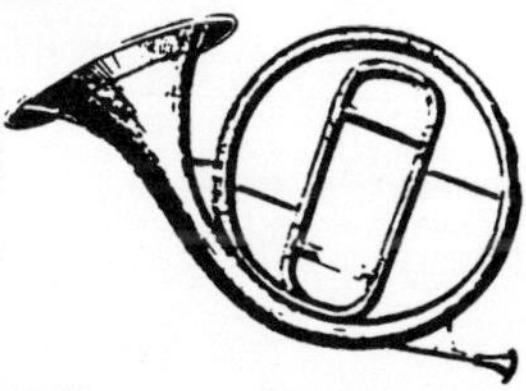

lepmeditores
www.lpm.com.br
o site que conta tudo

IMPRESSÃO:

PALLOTTI
GRÁFICA

Santa Maria - RS | Fone: (55) 3220.4500
www.graficapallotti.com.br